学而思
爱益一生的能力

国故事

心大语文分级阅读

第二学段 · 3~4年级

学而思教研中心 编著

现代教育出版社
Modern Education Press

前言

写给爸爸妈妈和老师

“阅读力就是成长力”，这个理念越来越成为父母和老师的共识。的确，阅读是一个潜在的“读－思考－领悟”的过程，孩子通过这个过程，打开心灵之窗，开启智慧之门，远比任何说教都有助于其成长。

儿童教育家根据孩子的身心特点，将阅读目标分为三个学段：第一学段（1~2 年级）课外阅读总量不少于 5 万字，第二学段（3~4 年级）课外阅读总量不少于 40 万字，第三学段（5~6 年级）课外阅读总量不少于 100 万字。

从当前的图书市场来看，小学生图书品类虽多，但都未做分级。从图书的内容来看，有些书籍加了拼音以降低识字难度，可文字量又太大，增加了阅读难度，并未考虑孩子的阅读力处于哪一个阶段。

阅读力的发展是有规律的。一般情况下，阅读力会随着年龄的增长而增强，但阅读力的发展受到两个重要因素的影响：阅读方法和阅读兴趣。如果阅读方法不当，就不能引起孩子的阅读兴趣，而影响阅读兴趣的关键因素是智力和心理发育程度，所以孩子的阅读书籍应该根据其智力和心理的不同发展阶段进行分类。

教育学家研究发现，1~2 年级的孩子喜欢与大人一起朗读或阅读浅近的童话、寓言、故事。通过阅读，孩子能获得初步的情感体验，感受语言的优美。这一阶段要培养的阅读方法是朗读，要培养的阅读力是喜欢阅读、可以借助图画形象理解文本、初步形成良好的阅读习惯。

3~4 年级的孩子阅读力迅速增强，阅读量和阅读面都开始扩大。这一阶段是阅读力形成的关键期，正确的阅读方法是默读、略读；阅读时要重点品味语言、感悟形象、表达阅读感受。

5~6 年级的孩子自主阅读能力更强，喜欢的图书更多元，对语言的品味有要求，开始建立自己的阅读趣味和评价标准，要培养的阅读方法是浏览、扫读；要培养的阅读力是概括能力、品评鉴赏能力。

本套丛书编者秉持“助力阅读，助力成长”的理念，精挑细选、反复打磨，为每一学段的孩子制作出适合其阅读力和身心发展特点的好书。

我们由衷地希望通过这套书，孩子能收获阅读的幸福感，提升阅读力和成长力。

学而思教研中心

目录

围绕九鼎的争夺

相传大禹治水成功后，大禹将天下划分为九州，并传令九州，让他们各自进献本州出产的青铜，铸造了九个大铜鼎，用九鼎来象征统御天下的帝王的权力。随着朝代的变迁，夏朝的九鼎传到了商朝，商朝的九鼎又传到了周朝。而到了战国时期，周王室的实力一天比一天衰落，天下诸侯们相互征伐，各自怀有吞并天下的野心，完全不把周王室放在眼里，象征帝王权力的九鼎，也渐渐成为当时较大的诸侯们所觊觎（jì yú 形容非分的企图，渴望得到本不应该属于自己的东西，贬义词）的对象。

一天，秦国突然发兵来到周王朝的首都，向周王求取九鼎，并威胁周王，如果得不到九鼎就不撤兵。周王十分慌张，既不敢得罪强盛的秦国，又不忍心将祖宗留下的九鼎就这样白白给了他人。于是，周王找来臣下颜率商议对策。颜率得知周王的忧虑，拍着胸脯向周王保证道："大王您不要担心，臣已经有了对策，这就启程向东方的大国齐国寻求帮助。"

颜率到了齐国，对齐王说："天下人谁不知道秦王的暴虐无道，他们竟然斗胆发兵攻打周王室，图谋九鼎。我们周王和臣下们已经商议过了，与其把九鼎交给暴虐无道的秦国，不如赠予以仁义著称的齐国，因此我来到这里向大王求救，大王如果能发兵帮助周王解围，我们就将九鼎献给大王。"齐王当然也想得到九鼎，听了颜率的话十分高兴，立即派出五万大军前往都城，帮助周王。

有了齐国的帮助，周王得以击退秦国的军队。于是，得胜的齐军向周王索要九鼎。周王哪里真的想要把九鼎送人呢？于是又开始担心。这时，颜率向周王说："大王不要担心，这事包在臣的身上，臣这就出使齐国，一定能够把九鼎留下来。"

颜率再次出使齐国，对齐王表示感谢，说道："多亏了大王的帮助，周王室的君臣才能够得以保全，王室上下无不对大王感恩戴德，因此决心献出九鼎以对大王表示感谢。不过，我们和齐国的边界并不相邻，不知道大王想要通过哪一条路将九鼎运送到齐国呢？"齐王笑道："这好办啊，梁国正好夹在周和齐之间，我准备借道梁国将九鼎运回来。"颜率马上说道："这可不行啊大王！据我所知，梁国的君臣们早就想要夺取九鼎了，您要是从梁国运送九鼎，那肯定会在中途被他们扣下的。"齐王顿时慌了，想了想说道："那要不然我就从楚国把九鼎运送回来吧。"颜率又立刻说道："哎呀大王，这可不行。楚王的野心可并不比秦王、梁王小，他们君臣也早就在打九鼎的主意了。您要是从楚国运送九鼎，恐怕正便宜了他们，一定不能成功的。"

齐王这下可犯了难，愁眉苦脸地说：“那我到底能够从哪一条路把九鼎运回齐国呢？”颜率回答道：“是啊，这可真是一件难事，我们也一直因为这件事替大王担心。而且运送九鼎的难处可不仅仅是走哪一条路的问题呀。九鼎又大又沉，可不像是普通的瓶瓶罐罐那样，拿在手上、揣在怀中就可以很快地运送到齐国。搬运九鼎，耗时耗力可大得很呀！想当年周武王讨伐商纣王的时候，虽然从商纣王那里夺取了九鼎，可是为了把这九个大铜鼎运送回来，可费了好大的力气。光运送一只鼎，就需要征调九万民夫来搬运，九只鼎就需要八十一万人，更不用说还要准备相应的搬运工具以及为民夫提供的衣服粮食等等，运送九鼎的花费可非同寻常。而且如今，即便大王能准备好这样的人力和物力，尚且不知道能从哪一条路把九鼎运送回去。有这样的难题在，臣怎能不为大王感到担忧呢？”

齐王听了，顿时感到周王并不是真心实意地想要把九鼎献给他，于是愤怒地对颜率说：“你屡屡来到我们齐国，说来说去原来还是不想把九鼎给我！”颜率回答道：“臣哪里敢欺骗大王呢，只要大王准备好了搬运九鼎的人力、物力，确定了从哪条路运送，我们随时可以等待大王来取这九只铜鼎！”齐王虽然想要得到九鼎，然而却在如何搬运这一问题上犯了难，找不到解决的办法，不得不放弃了运回九鼎的想法。周王于是得以保全了九鼎。

商鞅变法

战国初期，秦国的国力还十分弱小，常常被东面的魏国欺负。秦国国君秦孝公不满于这种状况，想要奋发图强，于是在全天下招揽贤人，希望能够找到令国家强大起来的方法。商鞅（卫国人，姓公孙氏，名鞅，被称为公孙鞅或卫鞅，后来辅佐秦孝公有功，被封在商地，因此又被称作商鞅）听到了这个消息，来到秦国，希望得到任用。

商鞅先是拜见秦孝公的宠臣景监，请求他向秦孝公引荐自己。等见到秦孝公之后，商鞅虽然口若悬河（讲起话来滔滔不绝，像瀑布不停地奔流倾泻）、滔滔不绝地讲述自己的治国之道，然而秦孝公却一直在打瞌睡，一点也听不进去。见完商鞅，秦孝公生气地召来景监，斥责他说："你推荐的是个什么人啊，讲的都是些什么东西，没一点有用的！"景监也十分羞愧，于是把秦孝公的话转告给了商鞅，而商鞅却回答说："那是因为我向大王阐述的是用来称帝的道理，大王只是对称帝不感兴趣罢了，并不是我说的没有道理。”

秦孝公听了商鞅的话感到十分惊奇，于是过了五天再次召见商鞅，可是这次商鞅说了半天，秦孝公还是丝毫提不起兴趣。于是秦孝公又召来景监向他抱怨，景监再次把秦孝公的话转告给了商鞅，而商鞅笑着回答说：“这是因为我这次向大王阐述的是称王的道理，看来大王对称王也不感兴趣啊。请让大王再次召见我，我还有话要对大王说。”

秦孝公耐心地第三次召见商鞅。不过这次，秦孝公却觉得商鞅的话十分有意思，虽然没有立刻任用商鞅，却在谈话之后满意地对景监说：“看来你推荐的人还是有真才实学的，我这次和他谈话，十分有收获。”景监高兴地跑去见商鞅，商鞅却仿佛早已经知道结果了那样神态自若，对景监说：“我这次向大王阐述的是用来称霸的道理，大王是有在诸侯之中称霸的野心的。我的话他一定会感兴趣，接下来肯定会重用我的。”

果然，秦孝公很快就再次召见了商鞅，商鞅把自己所学尽情地讲述给秦孝公，秦孝公被深深吸引，连续听了好几天都不感到疲倦。景监看到秦孝公这个样子，十分好奇，问商鞅说：“先生您是用的什么办法吸引的大王啊，能够让大王那么的高兴？”商鞅回答道：“我前几次向大王阐述的是帝王之道，想要让大王建立如同夏、商、周那样的功勋，然而大王却说：‘那些事过分宏大，耗时太长了，我可等不及。而且我想要在活着的时候就令自己的名声能在全天下显扬，可不想在数十年甚至数百年之后，等到子孙后代时才能成为帝王。’因此我把快速强国的办法阐述给了大王，大王才那么高兴。不过，这样的办法虽然能够在短期内令国家强大，却不能在德行上比得上商、周啊。”

于是，秦孝公准备重用商鞅。商鞅认为，想要强国首先要变法，秦孝公和秦国的大臣们都十分犹豫，害怕改动了祖宗传下来的制度法令，会招致天下人议论，不过，面对这些守旧的观点，商鞅却不以为然，他劝秦孝公：“想要成就大的事业，就不能心怀疑虑。自古以来，高明的人常常会遭到平庸的人的议论，那只是因为平庸的人见识赶不上高明的人，不理解他们的行为罢了，并不是高明的人行为有错误。我们追求的是令国家强大、让百姓富足，只要能够达到这个目标，没有必要非保留陈旧的礼法不可。并且，用一成不变的礼法是不可能让国家得到治理的，需要结合现实情况，与时俱进。即便是从前的帝王也是如此，商汤（商朝的建立者，传说中的贤明君主）和周武王（周文王之子，商朝末年，率军讨伐荒淫无道的商纣王，最终建立周朝）就是靠不一味遵循旧的历法才成就帝王伟业的，而夏桀（xià jié 夏朝最后的统治者）、商纣王（shāng zhòu wáng 商朝最后的统治者）正是因为不能够及时改变陈旧的法令才让国家灭亡的。因此，祖宗传下来的制度法令并不一定就是好东西，需要改变的时候就一定要改变。”秦孝公听了十分赞同，于是放心地任命商鞅主持变法。

于是商鞅制定了一套严明的法令。按照从前的等级制度，官员的后代可以世世当官，农民的后代只能世世代代成为农民，商鞅废除了这种制度，规定只有在战场上立功的人才能够当官享受尊荣，出身再高的人没有在战场上立功也只能当平民百姓。商鞅制定好了法令，还没公布，害怕百姓们不相信自己的话，于是想到了一个主意。他让人把三根大木头放到都城的南门，当众下令说，谁能够把木头搬到北门，就给谁十两黄金。百姓们都觉得这样的命令和以往不同，十分奇怪，谁都不敢相信。于是商鞅又下令，把赏钱提高到五十两黄金。这时候终于有一个人真的去把木头搬到了北门，果然得到了五十两的赏金。从此，百姓们都知道了商鞅并不骗人。于是，商鞅才正式颁布了变法的法令。

新的法令施行了几年，秦国各地的王公贵族们觉得新法不利于自己的利益，经常发出反对的声音，并且常有违反法令的行为。终于有一天，连太子也开始犯法了，全国人都在等着看商鞅的笑话。而商鞅却说："新法不能够很好地施行，就是因为地位高的人都带头犯法。"于是就要依法处罚太子。然而太子是储君，不能轻易动刑，于是就斩杀了太子的师傅，这让秦国全国的人都吓了一跳，第二天，全国人都开始乖乖地遵守法令，没有人胆敢再犯法了。就这样过了十年，新法的好处渐渐体现出来，人人遵守法律，没有人去干偷盗抢劫的事，社会治安越来越好，人们也都越来越富裕，秦国的军队也受到激励，士气高昂，人人都渴望能够建立功勋。

随后，商鞅又对秦孝公说："秦国与魏国接壤，而魏国却挡住了秦国向东的道路。将来，不是魏国吞并秦国，就是秦国吞并魏国，我们应该先下手，早日扫除魏国这个障碍。如今魏国刚刚在齐国那里吃了败仗，国力还没有恢复过来，正是我们攻打魏国的绝佳时机。魏国如今难以抵抗我们，肯定会被迫把都城向东迁移，为我们让开东进的道路。到那个时候，我们秦国位居天下的最西面，四处都有高山和河流作为守护的屏障，东

面没有了魏国的阻碍，可以随时向东方六国用兵，这是能够成就帝王功业的资本啊！”秦孝公听了十分高兴，于是命令商鞅作为将领统率秦军，讨伐魏国。

魏国派了公子昂作为将领前来迎敌。而商鞅曾经和公子昂有交情，于是写信给公子昂说：“我和公子曾经相处得很愉快，今天却各自作为秦国和魏国的将领相互敌对，而我实在不忍心破坏我们的友谊去攻打您。不如我们见一面，订立盟约，两不相攻，各自撤军回国，您看怎么样？”公子昂相信了商鞅，高兴地前来订立盟约，却没想到商鞅在盟会上设下伏兵，扣留了公子昂，并趁机大举进攻魏军，魏军遭到惨败，魏国被迫把河西的土地都割让给了秦国，并迁都到东面的大梁。商鞅采用的手段虽然谈不上光彩，但果真实现了他对秦孝公的许诺，令秦国一跃成为诸侯中的强国，有了争夺天下的资本，商鞅也获得了封赏，被任命为秦国的宰相。

然而，商鞅为人十分刻薄，在秦国没有结下什么朋友，而且在变法时又得罪了很多公卿贵族，因此在秦国国内遭到很多人的怨恨，只是因为秦孝公的支持，才长久地维持着尊贵的地位。秦孝公死后，太子继位为秦惠王。而秦惠王做太子时，曾经遭受过商鞅的惩罚，因此也十分怨恨商鞅。正好这时有人告发商鞅企图谋反，秦惠王不做分辨，就立刻下令追捕商鞅。商鞅预见到秦惠王一定不会放过自己，于是准备逃出秦国。等逃到国境附近时，他想要投宿旅店，旅店的店主虽然不知道来者是商鞅，却说：“按照商鞅颁布的法令，必须要验证了你的身份才能让你住，否则出了事情我也要承担罪责。”可是这回，作为逃犯的商鞅哪里敢告诉店主自己的身份呢！于是商鞅仰天长叹，说道："想不到我自己亲手制定的法令，最终却让我自己走投无路啊！"

于是商鞅又转头想要投奔魏国，然而魏国人深深怨恨商鞅曾经用卑劣的手段欺骗公子昂，以至于魏国遭到割地的羞辱，因此坚决不肯接纳商鞅。商鞅又想借道魏国投奔他国，魏国人仍然不允许。商鞅实在没有办法，只能再回到秦国。因为商鞅的变法得罪的人太多，秦惠王下令将商鞅五马分尸。一代改革家商鞅，最终落得了这样悲惨的结局。

不过，商鞅虽然被杀，秦惠王却清楚地看到商鞅的变法能够让秦国实实在在地走向强大，于是在杀了商鞅、平息了国内王公贵族们的怨恨之后，仍然保存商鞅制定的新法，最终让秦国越来越强大。商鞅变法的成果，也成为秦国最终能够吞并六国，统一天下的资本。

苏秦与『合纵』

战国中后期，虽然有秦、齐、燕、楚、赵、魏、韩所谓的“战国七雄”并立，然而这其中，秦国的实力日益强大，大有吞并六国、一统天下之势。为了与强大的秦国相抗衡，六国纷纷在外交上采取对策。从地理上看，秦国位居天下的西侧，其余六国则在天下的东侧，且在纵向（南北向）上由南至北土地依次相连，因此六国联合共同对抗秦国的外交策略就被称为“合纵”，意为联合在地理上纵向相连的六国。为了对抗六国的“合纵”，秦国也采取了相应的策略，拉拢六国中的一些国家，从而分化瓦解六国的联盟，由于六国大多与秦国在地理上呈横向（东西向）排列，因此这一抗衡“合纵”的外交策略就被称为“连横”。

“合纵”与“连横”是战国中后期外交舞台上的最主要特征，秦与六国之间的纷争乃至最终秦并六国、统一天下，都是在“合纵”与“连横”相对抗的背景之下展开的。而在秦与六国之间奔波，谋求“合纵”或者“连横”的外交家们，就被称为“纵横家”。

苏秦是历史上著名的“纵横家”，他年少时曾经跟随著名的谋略家鬼谷子求学，博览群书，熟悉天下的形势变化，专心于游说（yóu shuì 战国时纵横家们周游列国、劝说君主采纳其政治主张的一种活动）的学问。等到他自认为已经学有所成，能够出山时，便前往秦国小试锋芒（比喻稍微显示一下本领）。

苏秦到了秦国，见到秦惠王，就迫不及待地施展自己的辩论才能，劝说秦王凭借秦国的强大实力，早日谋划统一天下之事。苏秦说：“大王的国家，疆域辽阔。西面有巴、蜀、汉中，物产丰富；北面与胡人的土地相接壤，盛产皮革与马匹；南面有巫山、黔中作为防御的屏障；东面又有函谷关这样坚固的要塞。土地如此肥沃，人民如此富足，况且又有数万辆战车、百万名战士，地势险要，易守难攻，这就是人们所常说的‘天府之国’啊！上天赐给大王如此强盛的国家，再加上大王的英明才智，一定能够吞并其他的诸侯，统一天下，创立帝王的伟业的！如果大王有这样的想法，请允许我辅佐大王，陈述我的策略。”

苏秦在开场白中，热情洋溢地赞美秦国的强盛，本为了让秦惠王在高兴之余，能允许自己进一步陈述高论，然而没想到的是，强大的秦国并没有瞧得起空有一张嘴的苏秦。况且秦惠王此时刚刚继位，国内政局并不稳定，秦惠王认为征讨六国的时机并不成熟，因而并不打算买苏秦的账。于是秦惠王虽然在表面上盛情款待了苏秦，却一直不打算和苏秦深入讨论政治上的问题。

苏秦刚一出山就碰到了钉子，他的一番开场白完全没有引起秦王的兴趣，他准备平定诸侯、统一天下的策略甚至都没有得到充分表达的机会。苏秦不想轻易放弃，在被秦王婉拒（委婉地拒绝）之后，又接连十次向秦王献上书信，详细地陈述自己的谋略，可是十次上书，却没有一次得到秦王的答复。别说得到秦王的重用了，苏秦甚至连一官半职也没能讨要到，时间久了，之前准备的路费资产也已经花得差不多了，苏秦只能无奈地离开秦国，返回故乡。

苏秦自从求学开始，直到游说秦国失败，已经好几年没有回家了。家人本来就对苏秦不从事生产活动，偏要去学习游说的行为十分不满，这次苏秦一事无成，被迫回家，穿着破烂的衣服，饿着肚子，神情憔悴，行囊里没有一点财物，净是些不值钱的破书，这更让家人恼火，于是人人都不给他好脸色。等他踏入家门，妻子假装忙着织布完全不理睬他，嫂子明知他饿着肚子，却丝毫没有给他做顿热乎饭的意思，甚至父母也摆出一副懒得跟他说话的样子。苏秦百感交集，长叹道："妻子不把我当丈夫，嫂子不把我当小叔，父母不把我当儿子，这都是我学艺不精的罪过啊！"

感受到耻辱的苏秦于是奋发图强，打算从书中吸取智慧。翻了好几十筐书之后，他终于找到了从前姜太公姜子牙所遗留下来的兵书《阴符》，趴在桌子上就开始钻研，一边钻研书中的意思，一边结合时下的局势，以求精进自己的才能，为下次游说做好准备。有时读书到了深夜，忍不住打瞌睡的时候，苏秦就找来锥子，猛扎自己的大腿，鲜血甚至一直流到脚踝，苏秦就这样，想要利用疼痛使自己时刻保持清醒。他常常感叹道："哪有像我这样，游说一国之主，却不能让他们拿出金玉锦绣，来请自己出任国家的卿相呢？"于是他加倍地努力读书。就这样坚持了一年，苏秦终于感到自己的学问有了进步，于是准备好行囊，再次踏上了游说诸侯的旅途。

苏秦重新衡量了形势，认为弱国比强国更需要别人为其指明保卫自己的策略。于是他北上弱小的燕国，向燕王陈述秦国的强大及其所面临的威胁，提醒燕王想要自保就务必要与其他诸侯联合起来，而这一点正点中了燕王的担忧之处，与燕王的想法不谋而合（指事先没有商量过，意见或行动却完全一致）。燕王立刻重用苏秦，令他南下，进一步游说赵国等诸侯，以求建立一个抵御强大秦国的“合纵”联盟。

苏秦来到了赵国，运用他闭关一年所领悟到的游说的技巧，向赵王慷慨（kāng kǎi 充满正气，情绪激昂）地分析天下形势，陈述秦国对各诸侯国造成的威胁以及联合诸侯才能自保的道理，并阐述他所谋划的联合天下诸侯的方法。苏秦的一席话可谓是动之以情，晓之以理（用感情打动人心，用道理使人明白），终于打动了赵王。于是赵王封苏秦为“武安君”，并任命他为宰相，赐给他兵车一百辆，锦绣数千段，白璧一百双，黄金万余两，让他主管“合纵”的计谋，出使诸侯国，结成反对秦国的联盟。

在苏秦的努力下，仅仅数年之间，“合纵”的计划就取得了巨大的成就，苏秦自己被六国任命为主管“合纵”的长官，成为六国共同的宰相，佩戴六国宰相的印信，权势甚至要大于六国的国君。而之前拒绝了苏秦的秦国后悔也来不及了，秦国固然强大，可是面临六国的联盟却无计可施。因为忌惮六国的联盟，强大的秦国军队在十多年的时间里，甚至不敢派一兵一卒东出函谷关进犯东方的六国。六国的君臣上下都依靠苏秦的谋划得到保存；天下的百姓，不用多缴纳一斗军粮，多派出一人当兵，多消耗一只弓箭，就阻止了秦国进犯的野心，迎来了难得的和平。而这样巨大的成就，都是因为任用了苏秦，采取了他的计策才能够达成，苏秦的名声终于在全天下得到显扬。

而苏秦这个人，没有什么显贵的出身，也没有什么丰厚的家财，从前只不过是一个住在破房子里的寻常百姓，可一旦他坐上使者专用的马车，出访诸侯，仅仅凭借着一张口、一条舌头，竟然就能让四方的诸侯畏服，让高高在上的权贵们不敢轻易开口说一句话，让全天下的人都不敢与他对抗。

有一天，苏秦为了"合纵"的计划，将要出使楚国，途中路过他的家乡洛阳。他的父母听说了他将要到来，早早地整理好房间，清扫干净道路，雇用了欢迎的乐队，准备好了宴会的酒席，甚至亲自跑到离城门三十多里远的地方去迎接苏秦的队伍。等到苏秦到来，他的妻子小心翼翼地服侍在一旁，完全不敢直视他的眼睛，生怕冒犯了他的尊严，侧着耳朵倾听苏秦的一言一句，丝毫不敢怠慢。而他的嫂子更是畏惧地趴在地上，多次跪拜向苏秦叩头请罪。苏秦好奇地问道："嫂子啊，您从前为什么那么傲慢不逊，而今天却又为什么这样低声下气的呢？"他的嫂子回答说："那都是因为你今天的地位崇高，又有很多钱的缘故啊！"苏秦听了嫂子的话，长叹道："哎！人在穷困潦倒的时候，连父母都不愿意与自己相认，一旦富贵了，亲戚们却都来奉承自己。"

征韩，还是伐蜀？

战国中后期，秦国渐渐强大起来，于是有了吞并六国、统一天下的志向。然而其他的诸侯国虽然比不上秦国的强大，却也并不是任人宰割的羔羊。于是，对秦国而言，如何谋划统一天下的步骤就显得十分重要，而这其中，首先攻打哪一个国家就成为秦国君臣们激烈讨论的问题。

出兵讨伐的对象肯定要从邻国开始，而这时的秦国位于天下的西面，它的西面和北面都没有什么敌人，至于相邻的小国，在南方秦国与蜀国接壤；而在东面，出了函谷关要塞，就是弱小的韩国以及衰弱不堪、名存实亡（名义上还存在，实际上仅剩一个空名，如同已经消亡）的周王室。于是，统一天下的第一步，就有了是应先攻打蜀国还是先攻打韩国的争论。

司马错是秦国的大将，他向当时的秦惠王建议，应该首先攻打南面的蜀国。而这时，著名的辩士张仪却提出了反对意见，他说："攻打蜀国不如攻打韩国。"秦惠王当然对向东出兵中原十分感兴趣，于是进一步询问攻打韩国的理由和策略，张仪回答道："我们应该先派遣使节，亲近韩国北面的魏国和南面的楚国，与他们结盟，共同讨伐韩国，让魏国攻打韩国的南阳，楚国攻打韩国的南郑，而我军则负责攻打韩国的新城、宜阳，这样就能够趁机攻打周王室。如此用兵，既瓜分了韩国，又能灭掉周王室，周王自知免不了亡国的命运，一定会献出象征帝王权威的九鼎。我们能够得到九鼎，并搜集周王所藏天下的地图户籍等资料，以便日后征讨天下。而挟持周王，利用天子的权威来号令天下的诸侯，天下人就不敢不听从，这样才是能够成就王业的策略。反过来看攻打蜀国的计划，蜀国只不过是远在西南的边远之地，由一些野蛮人建立的无足轻重的小国而已。攻打蜀国并不会起到威震天下、建立名声与功业的效果。我听说，争夺名声的人要在朝廷上求取，争夺利益的人要在市场上去追求。如今韩国的土地以及周王室的城池，那可是天下的朝廷和市场，大王如果想要成就名声和功业，就应在这样的地方展开争夺啊！如果大王不这样，反而要跑到蜀国那种野蛮人建立的国家里去争夺，那可就离帝王的功业差远了啊！大王请您三思！"

秦惠王听了张仪的话，流露出一丝赞许的表情，而尚未张口说出赞许的话，司马错就急忙站了出来，高声反对张仪的意见，他说：

"张仪的计划听起来漂亮，可却是很难实现的！大王请听我一言。我听说，想要令国家富强，就一定要占领更多的地盘；想要让军队强大，就一定要让人民都富裕起来；想要成就帝王

的功业，就一定要令自身的德行宏大而深远。如果能够成功做到这三件事，那么帝王的功业也就自然而然的到来了。”

说到这里，司马错瞧了一眼秦惠王，看他凝眉深思的样子，知道自己的话已经引起了他的兴趣，于是稍稍放缓了语速，更加详细地阐述道：

“如今我们秦国，虽然经过了几代人的积累，已经成为诸侯中比较强大的国家。然而如果想要成就帝王的功业，我们国家的土地尚且很狭小，人民依旧还很贫困，虽然实力比韩国要强大，但面对其他的诸侯国，并没有必胜的把握。因此，与其穷尽我们的国力，立刻去讨伐东面实力尚存的诸侯国，不如在开始阶段做一些更容易的事。”

“那什么是更容易的事呢？”秦惠王正要发问，司马错就接着说道：

“回过头来看蜀国，它虽然地处西南荒凉遥远的地方，但它的地位却相当于周边少数民族所建立的国家中的首领，攻取它就能让周边的少数民族畏服，它可并不是什么无足轻重（没有它并不轻些，有它也并不重些。指无关紧要）的小国。况且天时也正站在我们的一边，当今的蜀国君主荒淫无道，一点也不亚于古代暴君的夏桀、商纣王，蜀国的人民正对他们的君主不满，已经忍耐很久了，在这样的时候，以我们强大的秦国军队去讨伐他们，就如同让豺狼去驱逐群羊一样，简直不能比这更容易了。而一旦得到了蜀国的土地，就可以扩展我们的疆土；得到蜀国的丰饶物产，就可以让我们的国民富裕起来。这么说来，讨伐蜀国，不会牺牲过多的士兵，也不需要劳烦我们国家的百姓，所需投入如此之少，而能得到的又是如此之多，何乐而不为呢？”

司马错看到秦惠王的眉头逐渐舒展，眼神中泛起了光彩，于是又进一步说道：

“另外，在外交方面，讨伐蜀国也绝对不是师出无名（出兵没有正当的理由）的事。蜀国的国君荒淫无道，我们出兵讨伐，是正义的事，一定会在诸侯之间留下平定暴虐的好名声。如此，我们吞并了蜀国，得到了他们的土地和财产，增强了自己的实力，天下诸侯却并不会认为我们的行为是贪婪荒暴的，既能够得到实实在在的利益，又能够在诸侯之间留下美名，哪里有比这还要实惠的事呢？”

说到这里，秦惠王笑容满面，频频点头，而在一旁的张仪的脸色却时而泛青，时而泛红，难看得很。而司马错却并不打算口下留情，于是进一步说道：

“要说到攻打韩国的事，我却认为实在是不妥。按照张仪先生的计划，攻打韩国，主要是为了挟持天子。然而挟持天子，可是不好的名声，未必能让我们得到实实在在的利益。这样既难以得到实在的利益，又在全天下留下了不好的名声，简直是全天下人都不想做的事情，为什么我们要去做呢？实在是危险至极！”

张仪听了这样的批评，刚要张口反驳，司马错马上又说道：

“如今周王室虽然已经衰弱不堪，然而周天子毕竟在名义上是天下的君主，而韩国以及在韩国东面强大的齐国都是周的友邦。张先生的策略虽然试图稳住韩国北面的魏国与南面的楚国，可是对东面的齐国也不能不加以考虑啊！一旦周王与韩国面临亡国的危险，一定会向齐国乃至北方的赵国求救，如果齐国和赵国都来援助韩国，那么我们秦军又能有几成胜算呢？更何况即便我们与楚国和魏国结盟，可是这两个国家的心思，我们也是无法掌控的啊！如果韩国和周王室被逼得急了，把九鼎献给楚国，或者向魏国割让土地，单方面向魏国、楚国求和，大王可是约束不了的。到时候如果魏国与楚国都对我们倒戈相向（掉转兵器，相与对立，比喻帮助敌人反对自己），与韩国、齐国、赵国都连起手来，那么我们非但不能求得什么利益，反而面临着兵败乃至亡国的危险啊！这就是我所说的攻打韩国‘危险至极’的意思。因此我认为，攻打韩国的计划远不如攻打蜀国完善。”

司马错说完，向秦惠王作了一个揖（yī 拱手行礼，古代的一种礼节），转头看了看张仪，只见张仪早已经是惭愧满面，不敢再发一言了。而秦惠王兴奋得起身，当即采纳了司马错的建议，并任命他为大将军，领兵讨伐蜀国。

司马错于是率领秦国的军队南下，经历十个月的讨伐，终于将蜀国纳入秦国的版图，将蜀国的君主降为侯爵。在得到了蜀国的土地和物产之后，秦国果然像司马错所分析的那样，实力一天比一天强大，因此有了轻视六国乃至日后统一天下的资本。

范雎的『远交近攻』

秦国的强大，与秦王能够任用贤人有着很大的关系，而范雎（suī）就是秦国所任用的贤人中十分重要的一位。那么，范雎是怎样得到任命，并且帮助秦国一步一步强大起来的呢？

秦昭王时，范雎的名气就已经很大了。他曾经到秦国来游览，并要入宫拜见秦王。秦昭王得知来的是大名鼎鼎（形容名气很大，十分有名）的范雎，于是并没有像往常那样坐在王座上等待范雎来拜见，而是主动走到大厅之中，亲自迎接范雎。秦昭王迫不及待（急迫得不能等待）地对范雎说："我很早就听说过先生的大名，盼望聆听（líng tīng 集中精力，认真地听）先生的教诲已经很久了！可是最近突然有西方的义渠国作乱，为了处理这个事情我忙得焦头烂额，一直没有时间。如今义渠国的事情已经处理完毕，我终于有时间向先生请教了。我自身愚钝，希望先生能够多多教导我呀！"说着就要向范雎行礼，而范雎却赶忙向秦昭王表示辞让。

范雎这个人风度翩翩，博学多才。范雎进宫这天，一路上见到范雎的人，没有不被他的神貌所吸引，从而肃然起敬的。秦昭王因此也更加敬佩起范雎来。秦昭王将范雎请到了宫中，并把周围侍奉的人都支使出去，宫中只剩下他们两个人。为了向范雎表示足够的尊敬，秦昭王竟然扑通一下向着范雎跪倒下来，对范雎说："先生，请您赐给我治国的良策！"然而范雎却不置可否（不表示赞成，也不表示反对）的嗯啊了两声，这让秦王十分不解，却又不敢冒犯范雎的尊严追问下去，于是过了一会又向范雎请教，然而范雎还是那样嗯啊了两声，就这样一次又一次，秦昭王反复降下身段向范雎请教，然而范雎却始终没有开口的意思。

秦昭王终于不再起身，长跪在地上向范雎说："先生，您这是不想指教我了吗？"

秦昭王的不断礼让，也终于让范雎开了口，他说道：

"臣并不是这个意思！哪里有人不想为帝王出谋划策呢？令天下谋士所向往的姜子牙，在他遇到周文王之前，只不过是一个在渭河边上钓鱼的渔夫而已，这样的人本来和周文王没有什么交情，却通过与周文王的一番谈话，就被尊崇为太师，和周文王同乘一辆马车返回宫殿，这是因为他们能够深入讨论的缘故啊！有了这些，周文王才能依靠姜子牙的谋划，统一天下而成就了帝王的功业。假如周文王因为与姜子牙本没什么交情，就不和他深入讨论，那么周文王恐怕就难以建立起帝王的功业，他的子子孙孙也就不能够延续帝王的尊位了啊！"

秦王听了，急切地问道："既然如此，那先生您为什么不像

姜子牙一样为我出谋划策呢？”

范雎回答道：“姜子牙的事迹虽然令臣十分向往，可是臣却不敢轻易效仿他啊。臣虽然自认为有着不亚于姜子牙的才能，可是请大王宽恕臣的直言，臣是不清楚大王您是否有着像周文王一样的胸襟啊！臣只不过是旅行途中经过秦国，虽然受到大王您的接见，但是从前和大王并没有什么交情。然而一旦要为大王出谋划策，其中就要涉及干涉大王的家事，改变国家的政令，这些可都不是小事，万一说错了什么话，办错了什么事，臣可负不起这样大的责任啊。因此臣在不清楚大王的想法之前，不敢轻易开口，这就是您屡次向我提问，我却一直不敢回答的原因啊！”

秦昭王听了范雎的解释后恍然大悟。而范雎又接着说道：“不过，臣可并不是因为害怕才不敢向大王进言的。即便今天为大王出谋划策触怒了大王，明天就被杀掉，臣也并不害怕。大王如果用了臣的计策，那么即便是死，臣也心甘情愿。死，是人人都免不了的事情，从前圣明的‘三皇五帝’、贤明的‘春秋五霸’，不都是有死的那一天吗？臣所追求的，只不过是希望在走向死亡之前，能够为秦国增加一点益处，那臣就已经很满足了，又有什么值得担忧害怕的呢！能够用我的计策来辅佐贤明的君主，那简直是我最为荣幸的事啊！”

范雎的一番话义正词严，让秦昭王十分感动，而范雎高昂着头，用他那浑厚正直的声音又继续说道：

“臣所担心的，并不是我个人的安危，而是秦国今后的命运啊！如果我因为向大王提意见最终被诛杀，那么天下的贤人谋士们得知臣的遭遇之后，恐怕就会对秦国心生畏惧，不敢再来访问秦国，不敢再为大王出谋划策了啊！这样的话，大王您对上畏惧太后的威严，对下又恐怕会被奸臣所蒙蔽，居住在深宫之中，没有人为大王指明谁是贤人谁是奸臣，那么大王恐怕就会终身处于迷惑之中，往大了说恐怕会令国家灭亡，往小了说恐怕会让您自身陷于孤立无援的境地啊！这才是臣最为害怕的！而那些让臣受到侮辱、遭受死亡的祸患，根本不是臣所害怕的事，如果臣死了而秦国能够得到治理，那么我死了甚至比活着更有价值。所以我根本不是在担心自己的生与死啊，而是在为秦国的未来担忧！”

秦昭王听了之后，既惊喜又惶恐，赶忙对范雎说：

“先生您这是什么话啊！我们秦国地处偏远，我又天资愚钝，先生不嫌弃，能够来到我们秦国，这可是上天对我的恩赐。我如果再能得到先生的教诲，那可是祖先们修来的功德，让我能够长久地延续我们的国家运势。先生怎么能这样说呢？我们秦国的事情，无论大大小小，上到太后，下到大臣们，所有的这一切，都听从先生的指教，请先生千万不要再对我有什么疑虑了！”

这时范雎才终于信任了秦昭王，向秦昭王拜谢行礼，而秦昭王也再次向范雎行礼。

于是，范雎再也没有什么忌惮，开始与秦昭王一步步地谋划起秦国的未来。他说道：

“大王的国家，疆土辽阔，百姓众多，军队训练有素，有战车千辆，勇猛的士卒何止百万人，有着这样出众的实力，和其他诸侯国争斗，简直如同驱赶猛犬去追逐野兔一样容易，大王的功业唾手可得（比喻非常容易就能够得到。唾手，向手上吐唾沫，是普通劳动者干活之前的准备动作）。然而大王竟然封锁函谷关，不敢向东出兵，而仅仅满足于自保，这可是从前为大王谋划的臣子不能竭尽忠心的缘故，而大王的策略也有很大的失误啊！”

范雎的话，正说中了秦昭王心头最为忧虑之事，他迫切地对范雎说：“请先生帮我，指点我如何解决这一问题。”

范雎于是进一步对秦昭王说道：

“大王您总是想越过韩国、魏国的土地去攻打齐国，这可不是什么好的计策。如果派出的士兵少了，就不足以对齐国形成威胁；如果派出的士兵太多，反而对秦国自己不利。我猜测大王的意思是想要少派自己国家的兵，而让韩国和魏国派出自己的全部军队，这样的想法就更加不对了，韩国和魏国怎么可能完全听从大王的派遣呢！韩国与魏国这样的国家根本不值得信任，明知他们是不值得信任的，越过他们而去攻打齐国，这怎么可以呢？”

说着，范雎蹲下来，边在地上画着各个诸侯国的地图，边对秦昭王说：

“从前齐国攻打楚国，取得了很大的胜利，深入楚国的领地，然而却不能将楚国的土地据为己有（将别人的东西拿来作为自己的），这是为什么呢？难道是齐国不想要攻占土地么？当然不是，您看看地图上齐国和楚国的位置，楚国远在南方，离齐国的国土十分遥远，齐国即便能够击败楚国，可是因为地理位置的原因，实在很难控制得了从楚国攻占的土地啊！可见，攻打地理位置遥远的国家，即使取得了战争的胜利，却未必能从中得到实际的好处。况且，齐国因为攻打楚国，暴露了自身的一些问题，其他的诸侯国看到齐国的士兵疲惫，君臣不和，于是趁机攻打齐国，齐国遭到了惨败，齐王被赶出首都，受尽侮辱，被天下人所耻笑。齐国攻打楚国，自身没有得到一丝一毫的收益，反而便宜了相邻的韩国和魏国。齐国所遭受的教训，实在值得大王借鉴啊！”

秦昭王听了，若有所思地点了点头，急忙问道："那不去攻打齐国，先生您认为我们应该怎么办呢？”

范雎回答道："我的计策叫作'远交近攻'。对于像齐国这样地理位置遥远的诸侯国，我们应该派使者和它修好；而对于像韩国、魏国这样地理位置较近的诸侯国，我们则应该攻打它们。只有这样，攻下来的每一寸土地我们才能够守得住，这才算是真正的获利。如果攻打遥远的齐国，舍弃了实实在在的利益，而去追求守不住的收益，这岂不是大错特错吗？如今的韩国和魏国，地处天下的中央，是天下的交通枢纽，大王想要在诸侯之间称霸，就一定要攻克地理位置最重要的韩国和魏国，利用它们来控制天下的诸侯国，这样，北方的赵国强大了，南方的楚国就会来归附我们秦国；反过来南方的楚国强大了，北方的赵国就会来归附我们。而一旦楚国和赵国争相来归附我们，那么远在东方的齐国也一定会心生畏惧，一定会派遣使节讨好我们，和我们交好。一旦齐国和我们交好，那么我们就可以进一步打韩国和魏国的主意了。”

秦昭王听了范雎的这一番谋划之后频频点头，于是又继续问道："先生的计划精彩极了！我想要按照先生说的做，不过，魏国的国君讨厌得很，一向说话不算话，请问我应该怎么对他表示亲近呢？”

范雎回答说：“先赠给他金钱，向他说好话；如果这样不行，就割让给他土地；如果这样还不行，就干脆出兵攻打他，令他害怕，他自然而然就会主动向我们表示亲近。”于是秦昭王派兵攻打魏国，攻下了邢丘城，魏国果然害怕了，主动请求归附秦国。

随后，范雎又向秦昭王说：“秦国和韩国之间的边界，相互交错在一起。秦国的旁边有韩国存在，就像是木头上生有虫子，就像是人有了腹心的疾病。一旦天下有变化发生，对秦国危害最大的恐怕就是韩国，大王应当早早地让韩国归附我们。”

秦王说：“我也想要让韩国归附，可是韩国并不听从我啊，请问先生应该怎么办呢？”

范雎回答说：“应该集中兵力攻打韩国的荥阳城，这是沟通韩国东西的枢纽，能够让韩国的东西两部分无法连接在一起，而在北面再阻断太行山的道路，那么韩国北方上党城的军队也就无法南下救援，这样的话韩国就会被割裂成三个部分，无法相互照应，那么韩国就离灭亡不远了，在这个时候再去要求韩王归附，韩王怎么敢不听呢？一旦韩国归附了我们，那秦国的霸业就离成功不远了！”

秦昭王听了范雎的谋划后敬佩无比，立刻遵照范雎的意见安排外交和军事的战略。范雎的策略果然取得了成效，秦国很快就令六国屈服，具备了统一天下的实力。

巧舌如簧的张仪

先前说到，苏秦曾经游说六国，使六国结成“合纵”的联盟，共同对抗秦国的威胁，秦国也因此长达十五年之久不敢向东方的六国用兵。然而秦国人却并不轻易善罢甘休，时刻想要用“连横”的计策瓦解六国的联盟，而张仪就是秦王派出实行“连横”计策的急先锋。

张仪首先选择楚国作为“连横”的游说对象，楚怀王昏庸无能，正好适合作为突破口。于是张仪前往楚国，面见楚怀王，施展了他那巧舌如簧的辩论技巧，一番长篇大论之后，将楚怀王说得云里雾里，于是楚怀王听信了张仪，改“合纵”为“连横”，从而令“合纵”的计策逐渐崩溃，就此改变了诸侯之间的局势，揭开了秦国吞并六国的序幕。

张仪首先对楚怀王夸耀秦国的强大，借以吓到楚怀王，他说道：“我们秦国疆域，几乎占有全天下一半的土地；我们秦国军队，足以同时和四个诸侯国相抗衡。而且我们的国家在地势上易守难攻，四周都有大江大河作为防御的屏障，出入秦国，只能通过几个狭小的关隘。因此尽管六国结成联盟，想要攻入我国的国土，也几乎是不可能的事。我们有精兵数百万，战车数千辆，良马数万匹，储备的粮食堆积起来如同山一样高。更何况我们制定了一套行之有效的制度，赏罚分明，士兵们都渴望建功立业，毫不畏惧死亡，作战时都像虎狼一样勇猛。我们秦国的君王，严厉且贤明；我们秦国的将领，勇武且足智多谋。秦国一旦向东方出兵，能够轻易地攻下常山，占领这个天下的屋脊，从而俯瞰（fǔ kàn 俯视）六国，接着可以完全凭我们的意愿选择向周围的任何国家用兵，天下的诸侯，谁敢不服秦国的权威，谁就会最先遭到灭亡！大王您和其他的诸侯们建立所谓'合纵'的联盟，简直相当于一群弱小的绵羊集合起来对抗凶猛的老虎，绵羊再多，怎么可能是老虎的对手呢？大王您不和凶猛的老虎联手，却要投奔弱小的绵羊们的怀抱，实在是太欠考虑了啊！"

紧接着，张仪又为楚怀王分析了秦国和楚国之间的战略形势，威胁楚怀王说，一旦秦国决心进攻楚国，即便有"合纵"的联盟，楚国也必然难以抵抗。他说道："要说到全天下的强国，除了我们秦国，那就是大王的楚国了，而我们两个国家长期以来一直相互攻击，势不两立。而大王不肯和我们秦国和好，那么我们就会派兵攻打韩国，迅速占据韩国的宜阳城，切断韩国南北的联系，再向韩国的都城进兵，那时候韩国完全没有抵抗的能力，一定会臣服于秦国。一旦韩国臣服，魏国也会从风而动（跟从形式的变化而采取相应的行动，此处指魏国也会紧接着韩国

臣服于秦国），到时候韩国和魏国都被我们秦国所掌握，那么秦国可以从西面攻打楚国，然后再派韩国和魏国的军队从北面攻打楚国，两面夹击之下，大王您有什么办法抵抗呢？况且所谓的‘合纵’联盟，是聚集弱国而攻打最为强大的国家，然而以弱攻强，本身就是不自量力（形容不能正确地估计自己的实力）的行为。国家贫穷弱小，却非要举兵作战，这又是自取灭亡的道路，我听人说‘兵器不如别人锋利，就不要挑战别人；粮食储备不如别人多，就不要与别人进行持久战’。那些主张‘合纵’的人，都是奸诈虚伪的小人，他们只会说些奉承话，对国君们只说‘合纵’的好处而完全不说‘合纵’的坏处，欺骗君主，让君主们不能准确地判断形势，如果还继续听信他们的话坚持‘合纵’，那么一旦遭到秦国的攻击，等到国破家亡时，一切就都晚了啊！因此，希望大王千万要深思熟虑，不要被‘合纵’的拙劣计策欺骗了！”

随后，张仪又为楚怀王具体分析为什么“合纵”的联盟并不能帮助到楚国，他说：“我们秦国已经占据了巴、蜀的地域，控制了巴、蜀，就控制了长江的上游，要想攻打楚国，只需要顺流而下就行。从巴、蜀到楚国的首都虽然有三千多里的距离，但是我们只需准备好船只，一艘船能够乘坐多达五十名战士，让他们带够三个月的粮食，然后顺着长江向下，一天能够走三百余里。即便距离遥远，可是有了长江的便利，不用劳烦车马、消耗人力，只需要顺着江流航行不到十天，就能够到达楚国的首都。同时，我们再从北面发兵，水陆夹击，不超过三个月，楚国恐怕就要面临灭亡了。然而所谓的‘合纵’，即便其他的诸侯们有前来救援楚国的想法，可是他们只能走陆路缓慢地行军，等到他们的救兵抵达，已经是半年之后的事情，到时候恐怕黄花菜都凉了。大王想要依靠弱国们的救援，却不顾强大的秦国的威胁，我真是为大王感到忧心啊！而且我听说，大王曾经攻打吴国，五战三胜，才最终艰难地灭掉了吴国，精锐的士兵已经在这场战争中消耗殆尽，而且还要另外派遣士兵来驻守这些新得到的地盘，楚国的百姓已经叫苦不迭（dié 形容连声叫苦。不迭，不能停止），大王也很难派得出足以和秦国抗衡的军队。在这样的形势之下，楚国自身的形势都不稳固，还想要和强大的秦国相对抗，大王难道不觉得危险吗？”

接着，张仪又对楚怀王说“合纵”的计策非但不能帮到楚国，反而会令楚国受到削弱，便宜了其他的国家。他说：“我们秦国之所以长达十五年不东出函谷关进攻诸侯，是因为在养精蓄锐（养足精神，积攒力量），暗地里谋划如何用兵才能吞并整个天下，而并非害怕了六国的联盟。然而楚国却屡次来找秦国的麻烦，在汉中攻打我们，楚军未能取胜，反而死伤无数，大王又愤怒得攻打蓝田试图报仇，然而再次被击败。秦国和楚国发生争斗，如同两只老虎互相打架，而在我们斗得两败俱伤之时，旁边的韩国、魏国却借机保存了实力，等楚国的实力削弱后，从后方攻打楚国。韩国、魏国这样的小国只会贪图自己的利益罢了，怎么能够作为盟友加以信任呢？‘合纵’的计策对于大王来说，实在是凶险无比，请大王仔细考虑！”

抨击了“合纵”的弊端之后，张仪趁机向楚怀王提出“连横”的邀约：“与这种坏处远大于好处的‘合纵’计策相比，大王为什么不考虑一下与我们秦国结成联盟呢？我们可以一起攻打其他的诸侯国，瓜分天下。秦国的军队挥师北进，楚国的军队则向东进攻，那么天下的诸侯国肯定都不是我们的对手，到时候整个天下就是我们两个国家的了，岂不美哉！而曾经被天下所信任的执掌‘合纵’的苏秦，他作为燕国的宰相，与燕王暗地里谋划攻打齐国，于是假装有罪，逃到齐国来做卧底，齐王接受了他，并任命他为宰相，两年之后，齐国才终于发现苏秦的阴谋，于是将他处死在闹市。这样一个反复无常、不守信用的苏秦，他所倡导的‘合纵’怎么可能值得信任呢？大王圣明，一定不能被他所蒙蔽啊！”

“何况，如今秦国和楚国，在地理上相接壤，本应该是相互友好的国家，不应该再继续敌对下去了。大王如果觉得臣说的有道理，能够信任臣的话，臣请求秦国与楚国结成联盟，秦国的太子来楚国做人质，同时也请楚国的太子到我们秦国做客；同时，我还可以请求让我们秦王的女儿来楚国服侍大王，做大王的妾。我们两个国家结成姻亲，约定不再相互攻击，同时将天下平分。臣认为这样才是对秦国、楚国来说都是最佳的计策。我们秦王也是这样的意见，所以才派遣我携带着国书来面见大王，请大王一定仔细考虑，我们秦王还在诚恳地等待着大王的回信啊！”

楚怀王听了之后，大为高兴，于是迫不及待地对张仪说：“先生说得太有道理了！我们楚国地处偏僻之地，当初不懂得外交上的道理，而我也年纪尚幼，不熟悉治理国家的方略，这才被小人所蒙蔽，长期以来和秦国相对抗。如今先生教给我明智的策略，终于让我明白应该怎么做了！感谢先生的赐教，我这就把国事委托给您，让您来执掌楚国和秦国结盟的事宜。”随后，楚怀王派遣了数百辆车随着张仪返回秦国，向秦王献出无数珍宝，请求结成“连横”的联盟。

英雄不问出身

姚贾是战国时魏国人，他的祖祖辈辈都是大梁城看守城门的门吏，地位十分低微。而姚贾的个人品行也并不好，他曾经在大梁有偷盗的行为，不得已逃出魏国，投奔赵国。又曾在赵国任职之时，因为品行不端，被赵王逐出国境。不过，姚贾也有他得以安身立命（指生活有着落，精神有所寄托）的本钱，这就是他那三寸不烂之舌，正因为口才出众，投身秦国做门客并很快受到秦王的赏识。

战国末期，秦国实力强大，连年攻击东方六国，韩国和魏国在秦国凌厉的攻势之下已经支撑不住，即将面临亡国的命运。其他的国家也对秦国的威胁越来越担心。于是，赵国、楚国、燕国和南方的越国联合在一起，准备一同攻打秦国。秦国虽然有强大的实力，然而连年的征战也让国中的百姓疲惫不堪，这时正想要休养生息，为下一次进攻积蓄实力。没想到这个时候，东方的诸侯们却忽然发难。于是，知道这个消息的秦王十分震惊，立刻召集国中大臣和自己招揽来的宾客们商量对策。一时间，秦王的宫殿中聚集了六十多人，等他们聚集在大殿之上后，秦王说道：“听说东方的四国聚集在一起，将要攻打我们秦国，我国最近连年征战，百姓已经疲惫不堪，这个时候恐怕很难与四国的联军苦战。眼看着他们就要结成联军，向我们扑过来了，大家都有什么办法呢？”

听了秦王的话，殿下的众人鸦雀无声。想到平时对自己奉承不已的臣下们，一到关键时刻竟然毫无用处，秦王的脸上露出了不快的神情。

正在这个时候，平时还没见到有什么作为的姚贾忽然站了出来，对秦王说道：“臣愿意作为使者出使四国，一定能够用自己的唇枪舌剑来瓦解他们的联盟，让他们知难而退。”秦王听了大喜过望，于是立刻下令任命姚贾为使者，并赠给他车马百辆，黄金千斤，供他出使之用。

姚贾告辞秦王，向四国出发。过了不久，果然凭借他的三寸不烂之舌，成功离间了四国之间的关系，让他们的联盟土崩瓦解，甚至转而争相要与秦国结成联盟以图自保，秦国的威胁解除，形势顿时一片大好。姚贾立下如此大功，秦王自然也丝毫不吝惜赏赐，封给姚贾一千户百姓，并任命他为上卿。

这时韩非刚刚投奔秦国不久，前来对秦王说道：“姚贾带着大王的珍珠财宝出使各个诸侯国，用大王的财宝结交诸侯。然而，以臣的情报，原先要结成联盟的四国，本来就矛盾重重，他们说要结成联盟来对付秦国，然而这样的联盟，原本就是很难结成的。姚贾却把这些都作为自己的功劳，而且仗着大王的威严，花费大王的财宝来为他自己结交各个诸侯国的君臣，只是为自己留下了好名声而已，将来说不好就借着这些资源背叛大王，投奔四国了，请大王不要上了他的当啊。而且姚贾出身低微，个人品行不佳。祖祖辈辈不过就是个看守城门的小官罢了，而且姚贾在魏国当过盗贼，又因品行不佳曾经被赵国驱逐，大王任用这样的小人，和他一起来商讨天下大事，恐怕并不明智吧，用这样的方法来统御群臣，恐怕也很难让大家信服。”

秦王听了觉得很有道理，于是立刻下令召见姚贾，对他说：“我听说你用我的财宝来为你自己结交诸侯，有这件事吗？”

姚贾回答说：“的确有这件事。”

秦王于是生气地说：“既然如此，那你还有什么脸面再来见我？”

姚贾回答道：“大王一定是听信了小人的挑拨，才来怀疑我对大王的忠心。从前曾参孝敬自己的父母，天下的人都愿意有他这样的儿子；伍子胥忠于自己的国君，天下的诸侯都愿意有他这样的臣子；贞女擅长女红（nǚ gōng 也称为女事，旧时指女子所做的针线、纺织、刺绣、缝纫等工作），天下的人都愿意有她这样的妻子。

如今我姚贾忠于大王，大王却不能明察我的忠心。如今的天下，除了我们秦国，就只有我出使的四国尚有实力，如果我不在秦国任职，就只能投奔那四个国家。然而，如果我是因为对大王不忠诚而逃亡四国的话，四国的君主又怎么能愿意任用不忠诚的臣子呢？我虽然用大王的财宝结交了四国的君臣，可完完全全都是在为我们秦国着想，而绝对不是在为自己寻找后路啊！从前，魏国听信谗言而诛杀了自己的将领，令国力一落千丈；而商纣王听信谗言而杀害了忠臣，最终落了个身死国亡的下场。如今大王如果听信谗言怪罪于我的话，恐怕以后我们秦国也很难再有忠于大王的臣子了。”

秦王听了，怒气稍稍消减，又问道：“你的祖辈世世代代都是看城门的小吏，而且你曾经在魏国做了偷盗的事，又被赵国驱逐。你出身低微，又有品行不佳的行为，这让我怎么能相信你呢？”

姚贾又回答道:“太公望，曾经被商朝驱逐，周文王任用了他，于是能够一统天下，成就了帝王的伟业；管仲，是荒野小城的商人之子，身份低微，甚至曾做过鲁国的囚犯，然而齐桓公任用了他，得以称霸诸侯；百里奚，曾经做过奴隶，被人用五张羊皮的价格买卖，秦穆公任用他为宰相，最终称霸西方，令西戎朝贡；而晋文公，同样也是任用了中山国的盗贼，才在城濮击败了楚国，取得胜利，成为诸侯间的霸主。

这四个人，身份都不高，也都有过品行不端的行为，被天下的人非议，然而他们各自有着为人所不知的才能，圣明的君主知晓他们的才能，任用他们，才立下不朽的功业。如果这些人真的只是一无是处的小人，圣明的君主肯定不会任用他们的。因此，圣明的君主不会因为人有小小的污点就忽视他的长处，不会因为别人的非议而被蒙蔽双眼，从而错过有才能的人。他们会凭借自己的双眼亲自去观察，不问出身，只任用有真才实学的人。如果真的有真才实学，即便天下人都非议他，圣明的君主也不去听信；而对于有着美好的名声的人，如果没有立下实实在在的功绩，圣明的君主也绝不轻易赏赐，这才是统御群臣，令众人信服的办法啊！”

秦王听了觉得十分有道理，于是重赏了姚贾，继续信任他，令他出使诸侯，并下令将诽谤他的韩非投入监狱，不久诛杀了韩非。

赵、魏、韩三家分晋

晋国原本是春秋时期的大国，然而到了春秋末年，晋国国君越来越难以掌控住国家的政局，权力逐渐被国中的几个大臣所掌控，晋国的国君渐渐名存实亡，掌权的大臣们将权力掌握在自己手中，并世代相传，逐渐形成了六大家族，分别是：知氏（又称智氏）、赵氏、韩氏、魏氏、范氏和中行（háng）氏，这其中，又以知氏的实力最为强盛。

而知氏传家到知伯的时候，知伯的野心越来越大，有了吞并其余家族的想法。于是，知伯先是联合赵氏、韩氏、魏氏三个家族，与他们一起攻打范氏和中行氏，灭亡了他们的家族，瓜分了他们的土地。此后过了几年，知伯又开始打起赵氏、韩氏、魏氏的主意，他仗着自己实力强大，先是写了一封书信，送到韩氏的家长韩康子那里，直接向他索要土地。韩康子看了十分生气，完全不想遭受这样的屈辱，不过，韩康子身边的谋士段规劝他说："这样可不行，我们现在还惹不起知伯。以知伯的为人，喜好利益，又心胸狭隘，残暴易怒，如果我们不满足他的要求，他一定会马上发兵攻打我们韩氏，那样的话可就不好办了啊。不如给他土地，他在我们这满足了之后，一定会再向其他的家族索要土地，其他的家族不愿意，就会遭到知伯的攻击，到时候我们韩氏不仅可以免于祸患，还可以在变局之中趁机谋利。”韩康子听了之后觉得十分有道理，于是派使者割让了一座有着万户人家的富饶的城池。知伯十分满意。

过了不久，知伯果然故技重施，又写了一封书信送到魏氏的家长魏宣子那里，也要向他索要土地。魏宣子一听同样火冒三丈，打算拒绝知伯。然而这个时候，魏宣子身边的谋士赵葭（jiā）看清楚了局势，劝魏宣子说："大王可千万不能在这个时候得罪知伯啊！他向韩氏索要土地，韩氏给了他，而又向我们魏氏索要土地，如果我们不给他，那一定会激怒知伯，令他派兵攻打我们的，我们魏氏如今可不是知氏的对手啊，不如暂且把土地给知伯，否则后患无穷。”魏宣子思考了许久，不得不同意赵葭的建议，于是也像韩氏那样，派使者割让了一座有着万户人家的富饶的城池。知伯的贪婪又一次得到了满足。

于是紧接着，知伯又向赵氏送去了书信，点名索要赵氏的蔡、皋（gāo）狼这两块富饶的土地。此时赵氏的家长为赵襄子，他早就看不惯知伯的飞扬跋扈（hù 形容骄傲放纵，目中无人）了，因此毅然地拒绝了知伯的无理请求。

眼看韩氏、魏氏都顺从了自己，而唯独赵氏非要和自己对着干，知伯十分生气，立即把韩氏和魏氏两家拉了过来，组成联军一起攻打赵氏，并约定灭赵之后三家平分赵氏的土地。

而在拒绝了知伯之后，赵襄子也料定知伯肯定不会善罢甘休，于是找来自己的谋士张孟谈，和他商量说："我刚刚拒绝了知伯的无理要求，得罪了他。而知伯的为人，表面上和人很亲密，实际上却和人很疏远，他曾屡次派使者去韩氏、魏氏和我们赵氏这里索要土地，韩氏、魏氏都满足了他，唯独我拒绝了他。为此他一定会发兵来攻打我，请问我应该采取什么样的措施才能抵挡得了呢？"

张孟谈回答道："知伯要攻打我们，肯定先奔着都城而来，我们都城邯郸的位置太不安全了。您应该首先选择一个坚固的城池迁移都城，这样才能抵御得了知伯的攻击。我听说先主公赵简子有一名贤臣叫作董安于，他所营建的晋阳城坚固异常，您可以把都城定在晋阳，一定能够抵御得了知伯的攻击。"

赵襄子听从了张孟谈的建议，把都城迁到了晋阳。紧接着，得知知伯和韩氏、魏氏的大军即将袭来，赵襄子又加紧准备晋阳城的防卫工作。他视察了城墙、兵器和粮仓，对张孟谈说："这里城墙坚固，兵器锋利，仓库里的粮食也够吃很久，然而却唯独缺少守城所必需的箭矢，眼看着敌军马上就要来了，我们没时间去准备制造箭矢的材料，这可怎么办是好？"

张孟谈回答道："这您不用着急，城中早已经备好了箭矢。我听说董安于治理晋阳城的时候，宫殿的篱笆都是用坚韧的蒿草做成，蒿草秆正是作为箭矢的上好材料，您可以把篱笆拆除，这样不就有箭矢了吗？"

赵襄子试了试这些蒿草，果然比一般的箭矢都要坚韧，于是十分高兴。然而马上又有了问题，他又问道："箭杆虽然

趙
韓
魏
赵
晋
魏
秦
楚

有了，可是光用箭杆，没有箭头也不行啊！做箭头的铜又该到哪里去找呢？”

张孟谈回答道：“箭头用的铜也早已预备好了。我听说董安于治理晋阳城的时候，宫殿中的柱子都是用炼好的铜制成的，您可以把这些铜取出来用，就足够做箭头了。”

赵襄子听了大喜，说道：“董安于想得可真是周到啊，竟然提前就准备好了这些重要的战备资源，这下晋阳城的防御可以说是万无一失了！”于是，赵氏上下很快完成了守城的准备工作，静等知伯和韩氏、魏氏的大军到来。

三家的军队到了晋阳城下，围城的战争接连进行了三个月，坚固的城防让三家的军队毫无办法，于是只能时晋阳城围而不攻，切断他们的粮草供应，准备拖死赵氏。同时，晋阳城附近正好有晋水流过，三国军队于是掘开河堤，引水淹城，让城中的军民都无法安心生活。就这样，战争一连持续了整整三年，凭借着坚固的城防和充足的准备，晋阳城仍未被攻克。不过，城中的军民却早已困苦不堪，城里四处是水，人们都只能把房子临时搭建在高处。而城中积蓄的粮食也眼看就要吃完了，士兵们吃不好也住不好，渐渐营养不良，疲惫不堪。看到局面越来越艰难，赵襄子焦急万分，他问张孟谈说：“城中的粮食即将消耗殆尽，将士们的力气也都将要用完，恐怕很难再坚守下去了，为了保存城中百姓的生命，我准备开城投降，您看怎么样呢？”

张孟谈回答道：“我听说，在面临危亡的局面时不能挽救时局，就谈不上是英明的领袖，您一定不要再说什么投降的话。请让我偷偷出城去韩氏、魏氏那里与他们协商，或许能有挽救时局的办法。”赵襄子允诺，将张孟谈偷偷送出城。

张孟谈于是见到了韩康子和魏宣子，向他们说：“二位有没有听说过唇亡齿寒的道理，我们赵氏如同人的嘴唇，你们韩氏和魏氏如同人的牙齿，一旦嘴唇难以保存，那么牙齿就会失去保护、遭受风吹雨淋啊！如今知伯和你们两家一同攻打我们赵氏，赵氏眼看就要支撑不下去了。可是，一旦赵氏灭亡了，接下来，恐怕就要轮到你们韩氏和魏氏了啊！”

韩康子和魏宣子赶忙说道：“我们怎么不知道这样的道理啊！知伯贪得无厌，我们早就难以再忍受他了，我们愿意和你们赵氏一起讨伐知伯。可是，知伯为人残暴少恩，如果我们的计划没来得及实行就提前泄密，那么恐怕就要大祸临头了啊，这可怎么办呢？”

张孟谈回答道：“这个计划，天知地知，你知我知，任何外人都不可能知道，又怎么能够泄露出去呢？”就这样，张孟谈赢得了韩康子和魏宣子的信任，三家暗地里约好了举兵讨伐知伯的时间。

为了掩盖自己的意图，张孟谈又假意去朝见知伯，骗他说赵襄子有意开城投降，并与知伯商讨投降的条件。等他返回晋阳城的时候，在军营的门外遇到了熟人知过，知过和张孟谈寒暄（hán xuān 见面时谈天气冷暖之类的应酬话）了几句，紧接着知过就去拜见知伯，对他说：“您要小心韩氏和魏氏两家，我料定他们将要反叛您！”知伯一听十分惊讶，赶忙问他为什么，知过说：“我刚才在军营外遇到了张孟谈，他面露喜色，神情高昂，一点也不像将要投降的人，一定是和韩氏、魏氏结成了什么阴谋，您可一定要小心啊！”然而知伯却并不以为然，他说道：“我早就和韩氏、魏氏约好了，等灭亡了赵氏，就和他们平分赵氏的土地。有这样优厚的条件，他们肯定不会反叛我的。这样的话你可不要再跟我说了！”

然而知过仍然不放心，接着又去韩氏和魏氏那里，探听韩康子和魏宣子的情报，当他感觉二人的神色同样不太正常时，又赶忙向知伯禀报说：“我刚才到韩康子和魏宣子那里去，看到他们的神色有异常，一定是背着您有什么阴谋诡计，您可一定要提防着他们！依我的意见，不如杀掉他们以除后患。”

可是知伯还是不相信，生气地说道：“我们三家围困晋阳城已经三年了，眼看着就能攻破城市、灭亡赵氏，既然马上就能够平分赵氏的土地，他们怎么可能会有反叛之心？你不要在这乱说了！”

知过眼看知伯不相信自己，十分无奈，于是又说道：“既然您不想杀掉他们，不如进一步向他们示好，将他们彻底拉拢过来，不要为赵氏所用。”

知伯说：“我已经允诺分给他们赵氏的土地了，还要怎么再拉拢他们？”

知过说：“魏宣子有个谋士叫作赵葭、韩康子有个谋士叫作段规，这两个人都是能够影响到他们的主公做出决策的人，您如果和他们两个人约定好，等到攻破赵氏之后赐给他们各一个有着上万人口的城池，拉拢好了他们，韩氏和魏氏对我们的衷心就不会动摇，您也就可以高枕无忧了。”

知伯一听，又是十分的不愿意，斥责知过说：“我们本来就和韩、魏两家约好，攻灭赵氏后平分他的土地，如今还要再分出两个有万户人口的城池给他们的谋士，那么在我这里还能剩下多少土地了？这怎么能行！”

知过看到知伯昏庸不明还贪图小利，自己的计策完全不受采纳，如此下去知氏迟早有一天会遭到厄运，为了避免受到牵连，知过毅然离开知氏，逃到晋国之外，并改自己的姓氏为辅，再也不为知伯做事。

张孟谈听说知过从知伯那里出走，于是立刻去见赵襄子说：“我在返回晋阳的路上遇到了知过，看他好像在怀疑我，如今又听说他拜见知伯后从他那里出走，恐怕知过已经看出我们的密谋向知伯禀报了。知伯虽然看上去并不相信知过的话，然而如果再等下去恐怕会夜长梦多（比喻时间拖延下来，事情可能发生各种不利的变化），为了避免意外，不如我们提前行动，今天晚上就约韩氏、魏氏一起夹击知伯！”赵襄子允诺，派张孟谈去和韩、魏两家约好，晚上趁着夜色偷袭守卫河堤的士兵，把大堤的缺口改为向着知伯的军营方向。于是，知伯的军营顿时成了一片汪洋，士兵们忙着救水，一片大乱，韩氏、魏氏的军队趁机从两侧夹击，而赵襄子也率军出城，从正面攻击知伯的军营，知伯大败，自己也被三家的军队俘虏了。

随后，三家斩杀知伯，平分了知氏的土地，强大的知氏就这样因为知伯的昏庸贪婪而遭到了灭亡。

从此，晋国的国政掌握在了赵氏、韩氏、魏氏三大家族手中，他们越来越无视晋国君主的存在，终于将君主流放，各自自立为王。从此晋国不再存在，而战国七雄（春秋时期，诸侯国之间相互攻伐，诸侯国的数量大为减少，到了战国时期，实力强大的有七个国家，分别是秦国、齐国、燕国、楚国、赵国、魏国和韩国，其余小国先后被这七个国家所吞并）之中的赵国、韩国、魏国也由此建立。

刺客豫让

豫让是晋国人，他曾经在晋国的大臣范氏和中行氏手下做事，然而十分不受重视。后来，范氏和中行氏被知氏所灭，而豫让也改投知氏门下，成为知伯的门客。知伯十分赏识豫让的才能，对他尊重有加，这让豫让十分感激。

不过，知伯最终因为自己的贪得无厌，在晋阳之战中被赵氏、韩氏、魏氏三家联合攻灭，知氏的土地也被三家平分，知氏手下的门客们也都四散逃亡。而在赵、韩、魏三家之中，赵氏的赵襄子曾经屡屡受到知伯的刁难，因而尤其怨恨知伯。等到攻灭了知氏、诛杀了知伯之后，赵襄子特意把知伯的头骨涂上漆，制成了杯子，每天用知伯的头骨饮酒来发泄自己的怨恨。知道了知伯受到了赵襄子如此的侮辱，逃到了深山之中的豫让十分悲伤，想到自己曾经受到知伯的知遇之恩（给予赏识和重用的恩情），于是立志要刺杀赵襄子来为知伯报仇。

豫让来到赵国开始进行他的刺杀计划。他先是考察了赵襄子的宫殿，发现护卫森严，不容易下手，而唯独在赵襄子上厕所的时候身边不会有护卫。于是他利用这一机会，更改了自己的姓名，把自己乔装打扮成地位卑贱的人，混到赵襄子的宫中，主动承担打扫厕所的工作。他在怀中偷偷地带着匕首，想要趁着赵襄子上厕所的时候冲进去刺杀他。

可是，计划进行得并没有豫让设想的那么顺利。赵襄子天性谨慎，他在进入厕所之前四处张望，忽然发现在一旁打扫厕所的人自己从前并没有见过，而且器宇不凡（形容仪表、风度很不平常），很不像是寻常的担任卑贱工作的人。他心中顿时起了疑心，命令身旁的卫士对那人仔细盘问。卫士中有曾经在知伯府中见过豫让的人，一眼就认出了他，又在他的怀中发现了行刺用的匕首，于是将他五花大绑，押送到赵襄子那里。豫让见了赵襄子，大喊道："我要为知伯报仇！今天虽然被你抓获，但是我一定不会罢休，即便做鬼也不会放过你！"卫士们见他这样说话，于是纷纷请求杀了他，然而赵襄子却被他的忠义所感动，说道："这真是一个忠义之士啊！知伯已经灭亡，而作为知伯的家臣，没有四散逃跑或者改投别家，却仍然坚守着对知氏的忠义之心，这实在是难能可贵。我钦佩他的忠义之心，不忍心杀害他。放他走吧，即使他以后还要来找我报仇，我小心躲避就好了。"于是赵襄子命令手下释放了豫让。

不过，虽然这次受到了赦免，豫让并不打算放弃自己的复仇计划，他知道因为上次的行刺失败，自己的容貌已经被赵氏的人记得很清楚，而赵襄子也一定会对自己更加小心。于是，为了让人认不出自己，增加行刺的成功率，豫让下定决心毁坏自己的容貌。他在自己身上涂满了脏东西，使皮肤上长满了癞疮；又把烧热的碳吞在嘴里，让自己口齿不清，改变了说话的声音；还披头散发，穿上破破烂烂的衣服在大街上行乞。他的容貌改变得如此之大，以至于连他的妻子也完全认不出他是谁。

有一天，化装成乞丐的豫让在大街上行乞，遇到了他曾经的朋友。他的朋友看到眼前这个乞丐的身形轮廓有些眼熟，又听说了豫让曾经行刺赵襄子的事情，猜到以豫让的忠义一定不会放弃行刺赵襄子的事，于是怀疑眼前的乞丐可能是豫让打扮成的。他走近乞丐，轻声问道："您该不会是豫让吧？"豫让一惊，看到原来是自己的朋友，于是微微点头说："是的。"他的朋友看到豫让身上的癞疮和口中的伤痕，十分痛心，不禁为他流下了眼泪，哭着对他说："先生啊，您这么富有才能的人，以您的能力，如果能委屈一下自己，去投奔赵襄子，赵襄子一定会赏识并重用您的。等他任用您，当面向您请教的时候，您再去下手行刺他，这不是更容易的行刺方法吗？为什么要毁坏自己的容貌，这么辛苦自己啊？"豫让回答说："我这个人坚守忠信的原则，一旦决心侍奉别人，就一定要对他忠心。既要侍奉别人，还想要杀害他的话，那是怀有二心的表现，绝对不是忠义的人应该做的事。我如今的所作所为虽然极其辛苦，然而之所以这样做，而不去采取您说的更容易的方法，就是为了避免对人怀有二心，坚守我忠义的原则啊！"豫让的朋友听了，深深为他的忠义所感动。

之后，豫让就这样每天在街上行乞，趁机观察赵襄子出门时的行踪，发现赵襄子每次出门都要从一座桥上经过，于是把这次行刺的地点选在了桥上。等到赵襄子出门的时候，豫让就在桥上坐着，假装行乞，等着赵襄子一上桥，就马上冲上去刺杀他。然而天意实在是难以预料，等到赵襄子到达桥头的时候，他的马不知怎么受到了惊吓，乱叫起来。赵襄子生性警惕，猜测道："这该不会是有人想在附近行刺我吧！"于是派人四处搜寻，果然发现了桥上的乞丐是豫让装扮的，豫让的行刺计划再一次失败了。

赵襄子对豫让执着于行刺自己的行为十分不解，于是上前责问他说："我已经放过你一次了，你为什么还要来行刺我？而且你曾经不是也在范氏和中行氏手下做事情吗？范式和中行氏可都是被知伯所灭，你非但不为范氏和中行氏报仇，反而转而投奔了知伯，那个时候你不讲什么忠义之心，为什么等到知伯被灭了，你却忽然变得忠义，非要报仇不可呢？"豫让回答道："我的确曾在范氏和中行氏手下做过事情，不过，当时他们只是把我作为一般人对待而已，那么我也以一般人的标准来回报他们。而知伯却是用对待国士的礼节来对待我，那我肯定也要以国士的标准来回报他。因而，对待范氏和中行氏，我没有为他们报仇的必要，而对于知伯，我非要为他报仇不可。"

赵襄子听了十分感慨，既为豫让的忠心而感动，又为这样的忠义之人不能被自己任用而感到遗憾，于是默默流下眼泪，进而对豫让说："豫先生啊，历经了这两次的行刺，你对知伯的忠心已经天下皆知了，你已经成就了忠义的名声。而我也已经赦免过你一次，对你已经仁至义尽，不能再赦免你第二次了。你如今还有什么要说的？如果你还要坚持报仇，那么这回我不能

再放你走了。”于是派身边的卫士从四面八方围住了豫让。豫让说：“我听说，贤明的君主不会遮掩别人的美德，而忠义的臣子有为维护名声而死的觉悟。前一次您赦免了我，天下之人无不称赞您的贤德。事到如今，我心甘情愿受死。不过，我有一个小小的请求，请您把外衣赠予我，我用匕首刺破您的外衣就当作是替知伯报仇了。如果能这样，我算是尽了报仇的心愿，即便死了也毫无遗憾了。不过，我并不敢奢求您真能答应我的心愿，我只是说出自己内心所想而已。”

听了豫让的话，赵襄子深深被他感动，于是解下自己的外衣，派人递给豫让，豫让于是用匕首连着刺了衣服三次，然后长叹道：“这样我就可以在黄泉之下报答知伯的知遇之恩了！”说完，豫让就用匕首抹向自己的脖子，死在了众人面前。

后来，豫让的故事被赵国的志士们所转述，豫让成为忠义之士的典范，听了他的故事的人无不被他感动得流下眼泪。

赵太后宠爱幼子

赵惠文王去世，刚刚即位的孝成王尚在幼年，于是由赵太后执掌国政。秦国借着赵国君主更替、政局不稳定的机会攻打赵国，想要从赵国那里得到利益。而赵国自身的实力难以抵抗，于是派使者前往齐国，请求齐国的救援。面对赵国的求助，齐王却说："让我们救援赵国可以，但一定要让赵太后的小儿子长安君来到齐国作为人质，这样才能让我们相信赵国的诚意。否则我们不能派兵援助赵国。"然而，赵太后十分宠爱自己的小儿子，很不舍得让他去齐国做人质，打算拒绝齐国的要求。而赵国的大臣们心急如焚，如果没有齐国的救援，赵国恐怕只能向秦国割让土地了，于是人人拼死向赵太后进谏。然而无论赵国的大臣们如何劝说，赵太后就是不肯答应，反而被大臣们的话所激怒，当着他们的面说："如果还有谁劝我派长安君去齐国做人质，我一定当面朝他脸上吐唾沫！"大臣们都无可奈何，不敢再去劝赵太后。

就在赵太后生气的时候，触龙却前来求见。赵太后猜他也是来劝说自己的，于是从一开始就不给他好脸色看。可是，触龙却并不像其他大臣那样直接表明来意，而是语气和缓地问候赵太后的日常起居，对赵太后说："老臣是特地来看望太后的。我最近腿脚不好，不能走太久的路，因此好久都没进宫来见太后，实在是不好意思。太后最近身子骨还硬朗吗？您是我们赵国的支柱，可一定要好好保重身体才行啊！"

赵太后听他并不是来劝自己送长安君去做人质的，于是也多少舒缓了心情，对他说："我最近腿脚也越来越不好了，出行都需要让仆人用车拉着才行。"

触龙又问道："那太后最近吃得还好吗？食欲怎么样啊？"

太后回答说："我最近没有什么食欲，每顿饭都只喝一些粥而已。"

触龙说："老臣最近也很没食欲，不过还是要勉强锻炼一下自己，每天坚持走路，走个三四里，就会稍稍增加一点食欲，坚持久了，身体也会感觉越来越舒服。"

太后则说道："怪不得看你最近神色不错呢，不过我还是不如你啊，无论怎么勉强自己，每天也走不了您那么多路啊。"说完两人都笑了笑，两个人都到了老年，自然有很多的共同话题，这番谈论养生的对话，让赵太后的脸色也不像最开始那样紧绷，而是越来越和颜悦色。

于是触龙继续和赵太后谈论家常，说起自己对小儿子的偏爱，他说道："老臣有个儿子，名叫舒祺，年龄最小，虽没有什么特别的才能，可是我却特别宠爱他。不过老臣的年龄越来越大了，很难不为舒祺的将来感到担忧，因此今天想请太后同意，让舒祺进宫担任大王的侍卫，借着这个机会历练历练他，日后也能报效国家，立下一点功劳。”

太后回答说：“这当然没问题啊，他现在有多大了？”

触龙回答说：“十五岁了。希望在我还能帮他一把的时候，把他托付给太后，为他的将来安排好一条出路啊！”

太后笑着点了点头，不禁想到自己对长安君的宠爱，产生了共鸣，于是对触龙说：“你们男人也会宠爱小儿子吗？”

触龙回答道：“那是当然，恐怕还要比你们妇人宠爱得更厉害哩！”

赵太后笑了笑，说道：“这话我可不相信啊，还是我们妇人宠爱小儿子，宠爱得厉害！”

触龙也笑着说：“老臣可觉得，您对燕后（赵太后的女儿，此时已经嫁到燕国称为王后，因此称为燕后）的宠爱可是要超过长安君的。”

赵太后摇了摇头，说：“您可说错了，我对燕后的宠爱可远远比不上对长安君的。”

触龙说：“父母宠爱孩子，是要为了他的将来做长远的打算。您送燕后出嫁燕国的时候，依依不舍地挽着她的手，哭着送她启程。等她出发之后，您虽然十分思念她，却总在祭祀的时候为她祷告，希望她婚姻幸福，不要被赶回娘家。这不就是为了燕后的将来做长远的考虑，希望她能够坐稳王后的位子，希望她的子孙能够世世代代继位成为燕国的君王吗？您对燕后的宠爱可是十分深厚的啊！”

赵太后点了点头，说道："正是这样。"

触龙于是接着说道："那么说到对长安君的宠爱，老臣想向您请教个问题。从这一辈往上推到三代以前，甚至到赵国建立的时候，赵王的子孙，曾经因为受到宠爱而被封侯的人中，您曾听说有谁的后代还能保守着当初的爵位吗？"

赵太后想了想，回答说："这个……我还真没有听说过有谁的后代还保留着当初的爵位。"

触龙紧接着又问道："那不仅仅在我们赵国，在其他诸侯国国君的子孙中，您听说过有谁的后代还保留着当初的爵位吗？"

赵太后回答说："这个我也没有听说过。"

于是，触龙更加舒缓了语气，语重心长地对赵太后说："哎，这些人啊，虽然曾经受到宠爱，享受着荣华富贵，然而他们的荣华富贵却并没能长久地保持下去，实在令人感到可惜啊！可这是为什么呢，难道是君王的子孙一定不能够得到善终吗？依老臣来看，这都是因为他们当初虽然受到宠爱，可是却并没有创立下与他们地位相称的功绩啊！没有功劳却身居高位，这可是不能长久的事情。一旦宠爱他们、作为他们靠山的人去世，他们就失去了依托，荣华富贵当然就很难保持长久。这么来看，如今太后对长安君的宠爱也是如此啊！您封给他富饶的土地，让他身居高位，却并不想让他建功立业，创立能够和他的高位相称的功绩，那么一旦您有什么三长两短，不能再护着长安君，长安君岂不就失去了依托，他的荣华富贵恐怕也很难长久保持的啊！所以我认为您虽然宠爱着长安君，但却没有为他的将来做长远的考虑，因此才说您对他的宠爱比不上对燕后的啊！"

赵太后听了恍然大悟，频频点头，于是对触龙说："多亏了您的提醒，要不然我这么溺爱长安君，恐怕真的会耽误了他的将来啊。好吧，那今天我就听您的意见，让他去齐国做人质，也算是为我们赵国立下一点功绩，让他将来也有所依托吧！"

于是，就在这看似是谈论家常的对话中，触龙竟然说动了赵太后，让她放弃了原来的坚持，同意派遣长安君到齐国去充当人质。

而等长安君到了齐国，齐国也果然信守诺言，派兵帮助赵国解除了秦兵的威胁。

完璧归赵

赵惠文王在位时，赵国得到了闻名天下的宝玉——和氏璧（传说中的宝玉，由楚国人卞和所发现，因此叫作和氏璧）。而秦昭王听到了这件事之后，也想要这块宝玉，于是就送书信到赵国，说愿意用十五座城池来换取和氏璧。赵王收到来信后十分为难，秦国仗着它强大的实力，从来都是说话不算话，毫无信用可言，这次虽说要用城池来换取和氏璧，可是大家都觉得秦王的话不可信。如果把和氏璧给了秦王，恐怕也很难得到那十五座城池；而要是拒绝了秦王，又怕得罪了他，以致招来秦兵的攻打。

赵王和大臣们议论不休，而对于派遣谁出使秦国这一问题，也让大家头疼不已。秦王一向傲慢无礼，平时派出的使者都难免会受到秦王羞辱，令赵国难堪，更何况是这样一个棘手（jí shǒu 像荆棘一样刺手，比喻事情难办）的问题呢。这时候，宦官缪（miào）贤向赵王建议说："我家的门客蔺（lìn）相如可以充当使者。"赵王一听，赶忙问道："这个人有什么特别的才能，你为什么推荐他啊?”缪贤回答道:“我曾经犯下了罪过，想要逃跑到燕国。正是这个蔺相如制止了我，他对我说，‘您怎么知道燕王会接纳您呢?’我跟他说，‘我曾经跟随大王参加与燕国的盟会，燕王曾经在暗地里挽着我的手说想要跟我交朋友，因此我认为燕王肯定会接纳我。’而蔺相如对我说，‘赵国强大而燕国弱小，您当时正受到赵王的宠信，燕王是为了讨好赵王才说想与您交友，可是如今您在赵国犯了罪，失去了赵王的宠信，燕王肯定不会再愿意结交您了，反过来燕王很可能会因为畏惧赵王而把您绑起来，送回赵国。这样看，与其逃跑，不如主动承认错误，真心诚意地向大王请罪，说不定还能免于惩罚。’于是我听从了他的建议，果然幸运地得到了大王的赦免。通过这件事，我觉得蔺相如这个人既有勇气又有智慧，一定可以担当使者的重任。”

于是赵王召见了蔺相如，问他说:“秦王想要用十五座城池来换我的和氏璧，你觉得我应不应该答应他?”蔺相如说:“秦国强大，赵国弱小，大王恐怕没有办法不答应秦王。”赵王又说:“如果秦王拿了我的和氏璧，却不按照约定把城池给我，那应该怎么办呢?”蔺相如说:“如果秦王自己说话不算话，那么过错在于秦国;如果我们不把和氏璧给秦王，那么过错在于我们。这样看的话，宁可让秦国自己犯错。”赵王又问道:“那你认为谁可以担任出使秦国的使者呢?”蔺相如笑道:“大王一定没有合适的人选吧!那么我愿意带着和氏璧出使秦国。我会尝试用和氏璧换取秦国的十五座城池，如果换不成，我也一定将和氏璧完好无损地送还赵国。”赵王看蔺相如如此有信心，十分高兴，于是命令蔺相如带着和氏璧出使秦国。

到了秦国，蔺相如受到了秦王的接见，秦王见到和氏璧十分高兴，取来仔细观赏，又传给左右大臣和妃子们，让他们也轮流观看，却全然不理睬作为使者的蔺相如。秦国的大臣和妃子们对和氏璧赞叹不已，纷纷祝贺秦王得到了如此的宝物，高呼着秦王万岁。蔺相如感到形势不妙，认为秦王完全没有要给赵国十五座城池的意愿，于是上前对秦王说："这块和氏璧上有一小块瑕疵，请允许我指给大王看。"秦王听了，才终于把目光落到蔺相如那里，很不情愿地把和氏璧递给了蔺相如。

蔺相如一拿到和氏璧，就立刻表现出威严不可侵犯的神情，手持着和氏璧站在大殿的柱子旁，生气地对秦王说："大王想要得到和氏璧，派人给我们赵王送了书信，赵王召见群臣商议，大家都说，'秦国贪婪，仗着自己实力强大，虽说要用城池换和氏璧，实际上肯定是骗人的，只是想把和氏璧白白骗到手而已。'于是大家都认为不应该把和氏璧送到秦国。而唯独我对赵王说，'普通的朋友之间，尚且不能相互欺骗，更何况是国与国之间呢？秦国如果自认为是大国，就不应该做出欺骗人的勾当。而且为了小小的一块和氏璧就得罪强大的秦国，是不可取的。'于是赵王采纳了我的意见，为了体现重视大国邦交的礼节，我们赵王特意斋戒（古人重大活动之前所进行的礼仪，沐浴更衣，不喝酒，不吃荤，减少娱乐活动，表示诚心致敬）了五天，郑重地写了一封国书，在朝堂上举行隆重的送别使者仪式。然而，当我到了秦国，大王您接见我的时候却毫无礼节，拿到了和氏璧，只顾着传给后妃和宠臣们看，对我这个赵国的使节完全没有给予应有的尊重，我看大王并不想遵守诺言——把十五座城池给我们赵国了，所以才取回和氏璧。如果大王非要逼我交出和氏璧，我就把和氏璧摔在柱子上，然后一头撞死。”蔺相如说完就望着柱子，眼看就要撞了过去。秦王害怕他真把和氏璧摔坏，于是连忙制止他，令人取出地图，在地图上指了十五座城池说：“我可不是欺骗你们，你看这十五座城池就是给你们赵国的，现在可以把和氏璧给我了吧。”

蔺相如认为秦王只是空口一说，假装把城池送给赵国而已，到头来赵国还是得不到城池，于是对秦王说：“和氏璧是天下人都知道的至宝，我们赵王害怕大王，所以大王想要，我们赵王不敢不把这至宝献出来。然而，赵王送出和氏璧的时候，为了表示礼节特意斋戒了五天，如今大王也应该表现出对等的礼节——斋戒五天，在朝堂上举行隆重的礼仪。我才能把和氏璧献给大王。”秦王看蔺相如的语气如此坚定，认为无法从他手中把和氏璧强夺过来，只能答应了蔺相如的请求。

而蔺相如早就看出了秦王并没有诚意，即便暂时答应了斋戒五天，最终也不可能真把十五座城送给赵国。于是，他令自己的仆人乔装打扮，带着和氏璧连夜从小道逃回了赵国。

等到五天的斋戒过后，秦王在朝堂上举行了隆重的礼仪，请来了蔺相如。而蔺相如却对秦王说：“秦国自秦缪公（春秋时期秦国君主，是春秋五霸之一）以来，已经历经了二十多位君主，从来就没有能够信守诺言的。我实在是害怕会受到大王的欺骗而辜负了赵王对我的信任，因此昨天晚上已经派人把和氏璧送回赵国，现在估计已经到达赵国了。不过，秦国强大，赵国弱

小，如果大王真能够信守诺言送出城池的话，只需要派一名使者到赵国，赵王立刻就会派人把和氏璧送回来的。秦国的实力这么强大，赵国是一定不敢得罪秦国。那么大王完全可以先把十五座城池割让给赵国，等到赵国完成接收之后，一定会主动把和氏璧送到秦国来的。而我也知道，我擅自做主把和氏璧运回赵国是欺骗大王的行为，其罪当死，请大王这就杀了我吧。不过先交付城池再换回和氏璧的事，还请大王和大臣们仔细考虑啊！”

听了蔺相如的话，秦王毫无办法，只能苦笑地看着群臣。而秦国的大臣们纷纷请求治蔺相如欺君之罪，把他拖出去杀掉，而秦王却对大臣们说道：“如今即便杀掉了蔺相如，也没有办法立刻得到和氏璧，反而会让秦国和赵国之间的关系彻底断绝，不如好好对待他，让他回去。赵王怎么敢因为小小的一块和氏璧而欺骗秦国呢？”于是秦国并没有杀掉蔺相如，而是用隆重的礼节送他回去。

于是，蔺相如既令和氏璧完好地归还了赵国，又在强大的秦国那里维护了赵国的尊严。等他返回了赵国，赵王大喜，亲自迎接他，提拔他做了上大夫（战国时期的官职名称。战国时，官爵分为卿和大夫两级。在卿中有上卿、亚卿之分。在大夫之中，有长大夫、上大夫、中大夫等分别）。

至于用十五座城池换取和氏璧的事情，秦国果然没有信守诺言——把城池主动割让给赵国；而赵国也因为蔺相如的计策，最终保住了和氏璧。

负荆请罪

自从“完璧归赵”之后，蔺相如获得了赵王的重用，地位一天比一天尊贵。不过，秦王仗着自己强大的实力，仍然处处为难赵王。

一次，秦王派遣使者来到赵国，说要跟赵国结盟，约定在渑（miǎn）池这个地方订立盟约，请赵王务必参加。而赵王一向畏惧秦王，害怕去了受到秦王的侮辱，因此并不想去参加盟会。然而赵国的大臣廉颇和蔺相如却劝赵王说：“大王如果不去的话，就是明白地向秦王展示赵国的弱小和赵国人的胆怯，受到的侮辱更为严重，大王应该鼓起勇气去参加盟会。”于是赵王被逼无奈，只能下定决心前去，为了给自己壮胆，命令在秦王面前能够“完璧归赵”的蔺相如一同前往。

将军廉颇率领军队为赵王送行，送到赵国和秦国的边境时，廉颇对赵王说：“大王这次参加盟会，往返的路程和盟会的仪式加起来耗时不会超过三十天的。不过为了以防万一，如果三十天之内大王回不来的话，请大王允许我们立太子为王，以防止秦王扣留大王来要挟赵国。”赵王无奈地点了点头，只能答应了廉颇的请求。

赵王到达渑池，和秦王盟会结束，在举办宴席的时候，秦王喝了酒，突发酒兴，对赵王说道：“我听说赵王您喜欢音乐，尤其擅长演奏乐器，我这里有瑟（古代弦乐器，像琴一样需要拨弦演奏），您能不能演奏一首为宴会助兴呢？”赵王畏惧秦王，不敢不答应，于是弹了一首瑟曲。等到赵王弹完，秦王马上令史官把这件事记录下来，写道：“某年某月某日，秦王和赵王一同宴饮，秦王命令赵王弹奏瑟，赵王遵守了命令。”赵王听了顿时感到十分屈辱，涨红了脸却又无可奈何。这时，蔺相如忽然走上前来，对秦王说：“我们赵王曾听说大王您擅长演奏秦地的音乐，我这里有个盆缻（pén fǒu 古时候用瓦做的器皿，秦国的人也会敲击盆缻来演奏音乐），请大王也演奏一首来给宴会助兴！”秦王听了十分生气，斥责蔺相如退下。然而蔺相如非但不退下，反而又向前走了一步，把盆缻进献到秦王面前，跪在地上请求秦王，非让秦王演奏盆缻不可。但秦王仍然不肯，于是蔺相如要挟秦王说：“我和大王只相隔五步而已，如果大王执意不肯演奏盆缻，我就立刻冲上去，即使中途被杀，脖子上的血也会溅您一身！”大殿下面的卫士都想要冲上去砍杀蔺相如，然而蔺相如离秦王实在太近，他又回头瞪着眼睛怒视大殿下面的卫士们，卫士们都畏惧蔺相如，不敢轻举妄动。于是秦王迫不得已，只能象征性地敲了一下眼前的盆缻。蔺相如立刻命令赵国的史官，让他记录道：“某年某月某日，秦王给赵王演奏盆缻助兴。”秦王听了十分扫兴，却又无可奈何，而赵王之前受到的羞辱被一扫而尽，赵国君臣都深深为蔺相如的勇气和智慧而赞叹不已。

经历了这件事，秦王默不作声，而秦国的群臣纷纷上前，想继续羞辱赵王，他们向赵王说道："如今我们两国结成联盟，为了体现诚意，向秦王表示祝贺，你们赵国应该割让给我们十五座城池！"而蔺相如马上回答说："要我们割让城池没有问题，不过既然是结盟，就一定要对等，为了体现诚意赵国可以用十五座城池只换你们秦国一座城池，请把你们的首都咸阳割让给我们赵国吧！"秦国的群臣听了顿时理屈词穷，都在一旁哑口无言。

正因为蔺相如一直在维护赵国的威严，直到整个宴会结束，秦国的君臣也没能成功地羞辱赵王。而赵国本就在边境上准备好了军队以防万一，秦王也不敢过分逼迫赵王，于是盟会意外地平安结束，赵国的尊严没有受到一点侵犯。

赵王平安回国之后，十分感激蔺相如的功绩，于是授予他赵国最高的官职，封他为上卿。

这时的蔺相如地位已经在赵国的大将廉颇之上。廉颇常年执掌赵国的军队，立下了无数的功勋，这次却要位居在蔺相如之下，他怎么也想不通，说道："我作为赵国的将军，曾经率领军队出生入死，攻城拔寨，立下了无数战功。如今蔺相如这样的人，仅仅动动口舌就获得了比我还高的官爵，而且他原本还是地位低下的人，我实在感到羞耻，无法接受这样的安排。"并当众说道："等我下次见到蔺相如，一定要好好羞辱他一番。"

蔺相如知道了廉颇的不满，就尽量避免与廉颇见面，在上朝的时候，蔺相如总是称病不去，避免和廉颇在朝堂上相遇。而蔺相如在外出的时候，一旦远远看到了廉颇的车马，就立刻下令驾车躲避。

蔺相如对廉颇的退让引来他的门客的不满，门客对蔺相如说："我之所以大老远前来投奔到您的门下，是因为仰慕您的勇敢与智谋。然而您如今和廉颇同朝为臣，廉颇对您口出恶言，您却因为害怕屡屡选择逃避这么没有尊严的做法，即便是普通人尚且感到羞耻，更何况是您这么地位高贵的大臣呢？我实在没有颜面再继续当您的门客，请允许我告辞回乡。"

蔺相如听了，问门客说："你认为廉颇比秦王更可怕吗？"

门客回答："廉颇当然不如秦王。"

蔺相如说道："像秦王这么有权势的人，我都不害怕他，敢于在朝堂上公然斥责秦王，侮辱秦国的群臣。我怎么可能畏惧廉颇呢？我只是认为，秦国之所以不敢发兵攻打我们赵国，就是因为我们赵国之中，文臣有我蔺相如，武将有廉颇将军在啊！如今，如果我们两个争斗起来，到时候两败俱伤，弄得赵国内部失和，岂不正便宜了秦国？因此，我一定要先顾及国家的需求，然后才考虑个人的恩怨，所以才一直躲避着廉颇，避免和他发生争斗啊！"

门客听了恍然大悟，于是更加钦佩蔺相如的为人。

不久之后，蔺相如的话也传到了廉颇的耳朵里，廉颇立刻认识到了自己的错误，大为羞愧。于是脱了上衣，背上荆条，亲自来到蔺相如的家门前跪着向蔺相如认错说："我是一个粗

鲁的人，不明事理才说出那些愚蠢的话，实在没想到先生您的胸怀如此的宽广，这让我惭愧万分。如今我认识到了自己的错误，请先生责罚我。”蔺相如赶忙出门将廉颇扶起，从此二人之间的误会完全消解，并结成了生死之交。而赵国也正是在蔺相如和廉颇的紧密合作之下越来越强大，让秦国一直不敢轻举妄动。

纸上谈兵

赵孝成王的时候，秦国进攻赵国，两军在长平这个地方对垒。而这时，赵国的名将赵奢已经去世，而宰相蔺相如也已经得了重病，卧床不起，赵国可以值得任用的人，只剩下了老将廉颇。于是赵王令廉颇统率军队迎击秦军，然而秦国强大，赵国弱小，即便是经验丰富的廉颇作为统帅，也是输多赢少。廉颇观察形势，认为以赵国现在的实力，只能避开秦军的锋芒，坚守不出，以求拖垮秦军，绝对不能轻易与秦军正面对抗。于是廉颇率军躲在坚固的城防之中，任凭秦军如何挑衅，就是不出城迎战。

秦军虽然实力强盛，然而面对廉颇的龟缩战术，却并没有什么好办法，始终无法在短期内攻破廉颇的防御，眼看军粮逐渐消耗殆尽，陷入了进退不得的困境。秦国人深知廉颇经验丰富，如果始终由廉颇领兵，秦军很难占到什么便宜。他们认为，要想迅速击败赵军，就一定要让赵国换掉领军的大将廉颇。因此，秦国人想出了离间的计策。他们找人偷偷到赵国散布谣言，说廉颇畏惧秦国，根本不敢和秦军正面对抗，因此才一直躲在城防之中不敢出来，这样下去，不久就会把粮草消耗殆尽。而秦国人所害怕的，只有赵奢将军的儿子赵括而已。

赵王不懂军事，只觉得廉颇领兵很久了也没有取得什么胜利，心中开始起了疑心，认为廉颇并没有与秦军抗衡的能力，又正逢秦国害怕赵括的谣言在赵国广泛传播，赵王信以为真，于是下令让赵括取代廉颇作为军队的统帅。

正在病中的蔺相如知道了换帅的消息，焦急地向赵王进谏说："赵括这个人，没有真才实学，虽然十分熟悉他父亲赵奢写的兵法，却根本不会活学活用，千万不能让他担任军队的统帅啊，否则我们赵国就危险了！"然而赵王却并不采纳蔺相如的意见，坚持任命赵括为统帅。

赵括从小就对兵法十分感兴趣，虽然没有真正带兵打过仗，却熟读各种兵书，他谈论起领兵打仗的事总是讲得头头是道，整个赵国的人都辩论不过他。而赵括也曾经和他的父亲赵奢讨论起兵法上的事，连赵奢也常常被他驳倒，不能在口头上说过他。然而，赵奢却并不赞赏赵括的能力。赵括的母亲曾经问赵奢为什么不看好赵括，赵奢回答说："领兵打仗，是生死攸关的大事，处处都需要谨慎对待。而在赵括口中，领兵打仗却变得十分轻易，他说的看起来很有道理，却根本没有认识到军事的严肃性，在实践中往往不是那么回事。今后赵国不让赵括当军队的统帅还好，如果让他当军队的统帅，我们赵国的军队恐怕就要葬送在赵括的手里。"

赵括的母亲记住了赵奢曾经的话，等到赵括领命，将要奔赴前线的时候，赵括的母亲也去赵王那里进谏，说一定不能任命赵括为统帅。赵王问为什么，赵括的母亲回答道：“从前，赵奢领兵打仗的时候，对待军中的士卒十分友善，在军中被他像老师一样尊敬的多达数十人，和他称兄道弟的多达数百人。大王赏赐给他的财物他一点也不往家里带，全都分给军中的士卒们。他一旦接受了将军的任命，就再也不过问家中的事，全身心都投入到军中。而如今赵括被任命为将军之后，并不懂得爱惜士卒，他视察军队时，士兵都十分害怕他，甚至没有一个人敢仰视他。大王赐给他的财物，他全部都藏在家中，并且接受任命之后并不积极准备军事，反而每天都忙着用赏赐的财物购买土地和房屋。这么看来，赵括是一点也没有继承他父亲的军事才能啊，请大王千万不要派遣他担任统帅！”

然而赵王却说：“您不要再说了，我已经决定任用赵括，不会再更改。”

于是，赵括受命赶赴了前线，取代廉颇成为赵军的统帅。在掌握了军权之后，赵括全盘更改了廉颇的布置，把军中的将领全部更换成听自己话的人。秦国的将军白起听说赵括成为统帅，知道秦国的离间计成功了。于是，利用赵括空有兵法上的知识，却完全没有领兵作战的经验这一弱点，白起设下圈套，准备将赵括引诱出城从而一举歼灭。白起首先命令军队后撤，假装败退，赵括接到秦军撤退的报告后，觉得这正是自己建功立业的好机会，立即下令全军出击，务必要打一场漂亮仗。然而没想到，撤退的秦军只是诱饵而已，秦军的主力埋伏在撤退的途中，找准时机突然杀出，将追击的赵军拦腰截断，赵军顿时大乱。没有了坚固的城防提供庇护（掩护、保护），后路又被切断，粮草也无法运到军中，赵军陷入了极其危急的形势中，士兵们也都不信任赵括的领导，士气十分萎靡（wěi mǐ 形容精神不振作，意志消沉的样子）。

就这样，陷入重重围困之中的赵军又坚持了四十多天，粮食已经全都吃光了，士卒们饿得快要丧失体力，实在没有办法，只能选择拼死一搏。这次赵括亲自率领最精锐的部队杀出重围，却遭到秦军的重重阻击，没有一个人能够逃得出去。最终，赵括被秦军射死，赵国的军队也被彻底击溃，多达数十万人的军队都向秦军投降，这就是有名的长平之战。

然而残忍的秦军为了彻底消灭赵国的抵抗能力，竟然将已经投降的赵军全部坑杀。最终在长平之战中，赵国前前后后有四十五万人被杀害。原来尚且能够和秦国相抗衡的赵国实力大大削弱，在这之后没用几年，赵国的首都就被秦国攻破，赵国也因此而灭亡。

赵括虽然有理论上的才能，然而毫无实践经验，最终应验了蔺相如和赵奢的话，赵国的军队覆灭在赵括手上。而后来，像赵括这样只会空谈理论，而完全没有实践的能力，被称为“纸上谈兵”。

毛遂自荐

因为赵王信任了赵括的“纸上谈兵”，赵国在长平之战中遭遇了惨败，而秦国的军队在赵国长驱直入，包围了赵国的首都邯郸，赵国面临着亡国的危险。赵王在危急的形势之下，准备派遣平原君（名赵胜，战国四公子之一，是赵武灵王之子，赵惠文王之弟，在赵惠文王和赵孝成王时担任赵国的宰相。他礼贤下士，门下有着数千的宾客。在战国末期活跃在外交舞台上，屡屡解救赵国的危难）到楚国去请求帮助。

平原君是赵国著名的贤能公子，他养了大批的门客为他效力。在启程去楚国之前，平原君召集自己的门客，说道：“我就要启程去楚国请求救兵了，然而还不知道楚王是否愿意帮助我们，你们之中有谁能够做我的副手和我一同前往楚国？这次去，如果仅靠谈判就能让楚王出兵相助那自然是最好，如果谈判不行，也一定要用尽所有手段，务必让楚王和我们结成联盟。我自认为天下的人才都已经汇聚在我的门下了，因此不打算向外人求助，仅从你们之中选取二十名能文能武的人才就足够了。”

然而平原君在门客之中选来选去，也只选到了十九人，其他的人都不很符合文武双全的条件。正愁着怎么凑足最后一个人的时候，门下有一个叫作毛遂的人主动站了出来，向平原君推荐自己说道：“我听说您将要去楚国请求救兵，想要在门客之中选取二十个人一同前往，如今还差一个人没有选定，那就请您带着我一起去吧！”

平原君看了看毛遂，觉得一点也不熟悉他，平时从未见他显露出什么才能，不禁怀疑这么重要的场合带他去能行吗，于是问毛遂说：“先生来做我的门客有多少年了？”

毛遂回答说：“到如今已经有三年了。”

平原君又说：“我听说贤能的人在世界上，如同锥子装在布袋里，锥子的尖很容易就扎破布袋显露出来。而先生您在我的门下已经有三年了，但从未听说身边的人称赞过您，我也从来没有听说过您的名字，那就说明先生并不像贤能的人那样有着特别的才能。如果先生没有特别的才能的话，那您恐怕不能胜任陪同我出使楚国的重任，还是请您留下吧。”

毛遂回答说：“谁说我不像锥子一样呢？只不过从未被人装进布袋里，我的锥尖也就没能显露出来而已。我今天正是在请求您把我装到布袋里。如果您早把我装进布袋里，我的锥尖早就显露出来了。”

平原君听了将信将疑，然而实在选不到合适的人凑够二十人，于是最终还是答应了毛遂，让他一同前去。而其他被选出的十九人都不相信毛遂有什么才能，在一旁交头接耳，等着到时候看毛遂的笑话。

然而，等到平原君一行人到达楚国的时候，毛遂和十九人讨论起见到楚王后应该采取怎样的计策时，十九人竟然都说不过毛遂，不过他们口服心不服，仍想要找机会让毛遂出丑。第二天，平原君带领门客面见楚王，与楚国君臣讨论楚国营救赵国的利害关系，从太阳刚刚出山的时候开始，直到正午还没有达成一致。在这时，十九名门客看了一眼毛遂，轻蔑地讽刺他说："现在是轮到先生发挥作用的时候了，先生还在等什么啊？"毛遂听了并不生气，而是顺势站起，手扶着剑，沿着台阶威严地走上大殿，对平原君说："楚国和赵国结成联盟，这件事有百利而无一害，利害关系如此明显，只需要三两句话就可以，今天您和楚王为什么从日出说到了正午还没有下决定？"

楚王听了大惊失色，问平原君说："这是什么人？"

平原君回答道："这是我的门客。"

楚王于是愤怒地对毛遂说："你这个人怎么这么没有礼貌，快滚下去！我和你的主人在讨论事情，哪里有你插嘴的份儿？"

毛遂听了非但不退下，反而用手按着剑，进一步走上前说："大王您敢于斥责我，不就是仗着你们楚国人多势众吗？如今我和您之间只有十步的距离，我冲上去就可以要了大王的命，你们楚国人再多也没有办法阻止我。大王的性命掌握在我的手里，您怎么敢在我的主人面前斥责我？而且我听说，从前那些贤明的君王，像商汤仅凭着七十里的土地就能够统一天下，周文王仅凭着百里的土地就能够令诸侯臣服，他们哪里是凭借着士卒

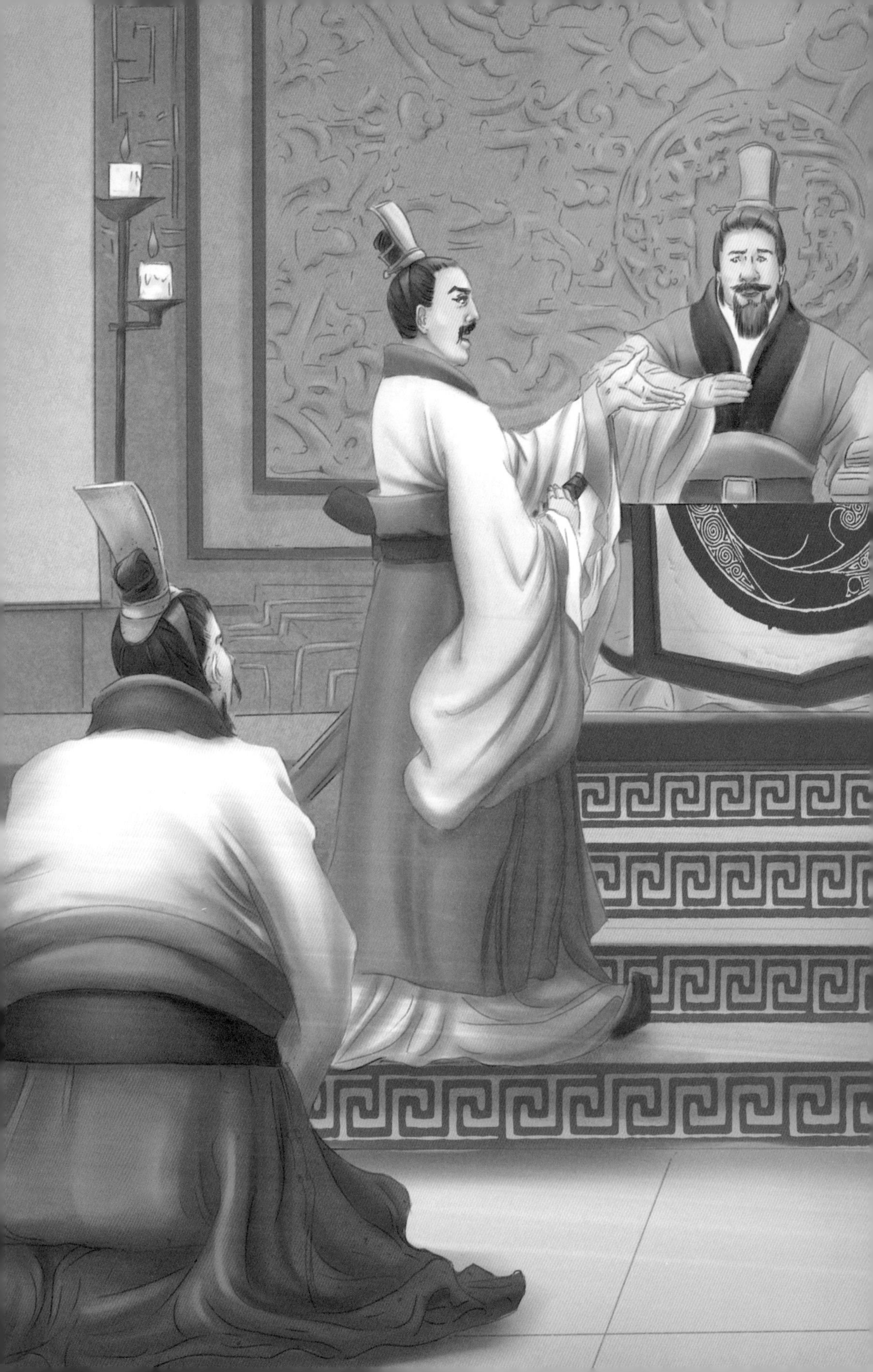

众多呢？他们是善于利用时势才能够发扬他们的威力！如今楚国有着方圆五千里的土地，数百万的士兵，这些可都是能够称王称霸的资产，楚国的强大是谁也抵挡不了的。然而现实情况却是怎样的呢？秦国的白起，只不过是一个平凡的武夫罢了，他率领数万人的军队来攻打楚国，第一仗就攻下了楚国的首都郢都，第二仗又攻破了楚国的夷陵，第三仗令楚国的先人蒙受羞耻。只用了三场战争，险些让楚国灭亡。这样的奇耻大辱应该是永远不能忘记的深仇大恨才对，我们赵国甚至都为楚国而感到羞耻，而大王竟然感觉不到！我们请求和楚国联合起来一同对抗秦国，实际上是为了楚国报仇啊，哪里单单是为了我们赵国。大王竟然还要犹豫不决，这不是很奇怪的事吗？我的话说完了，大王还要斥责我吗？”

楚王听了之后，羞愧万分地对毛遂说：“的确就像先生说的那样，我答应你们，这就和你们结成对抗秦国的联盟。”

毛遂于是向楚王确认说：“您已经下定决心和我们结盟了吗？”

楚王回答说：“我已经下定决心了。”

毛遂于是用威严的声音命令楚王左右侍奉的人说：“快去给你们大王取来盟会用的鸡、狗、马的血来！”随后毛遂亲自端着盛血的铜盘，跪在楚王面前说道：“大王应该首先歃血（shà xuè 古代举行盟会时，稍微饮一口牲畜的血，或者含于口中，或者涂在于嘴上，用来表示信守誓言的行为），发誓结盟，随后由我们平原君歃血，最后由我毛遂歃血。”毛遂很快就把盟会的仪式主持完毕，盟约就这样迅速被确定下来了。

随后，毛遂又端着铜盘，对在殿下等候的十九名门客说:“你们也一个一个地在这大殿歃血吧！”说着还没有忘记嘲讽一番他们，说道：“你们都是一些平庸无能的人，靠着别人的能力才可以办成事情而已。”

与楚国结盟的仪式举办完毕，平原君和门客们返回赵国。平原君请出毛遂，尊敬地对他说道：“我之前真是小看先生了。从此我再也不敢称自己能够辨别人才了！我曾经面会过数千名士人（封建时代称读书人），自认为只要是人才肯定会被我发现，不会错过天下的任何一名人才，然而却未能发现自己身边有毛先生这样的大才。毛先生一到楚国，就为我们赵国立下了如此巨大的功绩，毛先生的三寸不烂之舌，简直要比数百万的大军还要强大！毛先生给了我这样的教训，让我实在不敢自称能够辨别人才了！”于是，平原君愈发敬重毛遂，把他尊为最上等的宾客。

西门豹巧计治巫婆

魏文侯时，西门豹被任命到邺（yè）城作为地方的长官。邺城是魏国有名的贫困区，西门豹立志要改变这一状况，想要让邺城富庶起来。于是，他一上任，就召集地方上德高望重的人，向他们打听邺城的民间疾苦。这些人对西门豹说："邺城的百姓们每年都需要为河伯娶一次媳妇，为此十分苦恼，很多人都因此倾家荡产。"

西门豹感到十分奇怪，于是追问给河伯娶媳妇是怎么回事。这些人说道："邺城的官吏和巫婆们都说，邺城的河伯脾气古怪，如果不每年选取民间女子送给河伯当媳妇，河伯就会发洪水淹没农田。于是他们每年都要在百姓之中征收数百万的钱财，说是要给河伯准备彩礼，实际上却只用掉其中的二三十万，剩下的由官吏和巫婆们平分，官吏和巫婆们都发了财，而百姓们的收入都被征收了上去，因此一天比一天贫困。而且，每到要给河伯娶媳妇的时候，巫婆们会在民间到处巡视，看到谁家的女孩长得不错，就非说她适合给河伯当媳妇。于是就立刻找人给她沐浴更衣，拉去举办娶亲的仪式，他们把那女孩化妆打扮，给她穿上新妇的衣服，和嫁妆一起放在木板上，推到河中央。木板一开始还能浮在水面上，漂流不久，就和女孩一起沉入河中。百姓们都十分恐惧，养了漂亮女孩的人家，都非常害怕自家女儿被巫婆拉去献给河伯。可是，如果不把女儿献给河伯，又害怕河伯真的会生气，发了大水淹没农田，让大家颗粒无收。于是只能带着全家人一起逃亡。这样的情况已经持续了很久，因此邺城中的人口越来越少，邺城也变得越来越贫困。”

西门豹终于明白了邺城成为贫困区的原因，十分生气。为了能够彻底帮助百姓们摆脱这样的苦难，他想到一条计策，于是强忍着内心的愤怒，说道：“我作为邺城的长官，为河伯娶媳妇这样的大事肯定不能缺席。等到下次为河伯举行娶亲仪式的时候，一定要叫上我一起参加，顺便把巫婆、邺城的官吏以及父老乡亲们都叫上，我要和他们一起举办仪式。”

巫婆和官吏们听到新来的长官也十分关心为河伯娶媳妇的事，都十分高兴，认为西门豹一定是想和他们通力合作，一起发财。于是到了为河伯娶亲那天，巫婆和官吏们都盛装打扮，齐聚在河边，领头的巫婆是个老太太，已经七十多岁了，打扮得十分艳丽，她的子女和弟子有十多个人，也穿着华丽的衣服，恭恭敬敬地站在老巫婆身后。而在这一天，邺城的老百姓们也纷纷前来看热闹，河边密密麻麻，聚集了大约有两三千人。

马上就要到娶亲仪式开始的时间，西门豹神色威严地对众人说：“给河伯娶亲，是关系到百姓生计的大事，因此作为邺城的长官，我一定要亲自前来主持。不过，河伯的媳妇，可不是随随便便让谁当都可以，一定要选择长得漂亮的女孩才行。快把你们选好的献给河伯的女孩叫过来，让我看看她长什么样！”于是命人把事先选定的那女孩带到面前，女孩十分害怕，在西门豹面前不停地发抖。西门豹走上前去，仔细看了那女孩的容貌，并悄悄安慰了一下她，转头对巫婆和官吏们说道：“这女孩长得不行啊，你们怎么能够这么怠慢河伯！我们必须要选一个更好看的才行！”于是又对巫婆说道：“您神通广大，麻烦您去河里跟河伯道个歉，告诉他我们要再选一个更好看的女孩，过两天再给他送去。”说完，还没等巫婆反应过来是怎么回事，就立刻令人把巫婆扔到了河里。巫婆身后的弟子和官吏们都吓得一句话都不敢说。

过了好半天，西门豹看河里什么动静都没有，回头问巫婆的弟子说：“你们的师父怎么去了这么久还没回来？要不你们谁去问一下，催催她吧？”于是又令人把巫婆的一个弟子扔到了河里。又过了很久，河里还是没有什么动静，西门豹转头又说：“这个弟子怎么也去了那么久没回来，是不是在河里迷了路，再派一个人去催一催吧！”于是又把巫婆的一个弟子扔进了河里。

然而，就这样接连扔了三个弟子到河中后，仍然没见到河里有什么动静，西门豹又转头看向官吏们，对他们说：“哎呀，刚才是我疏忽了，巫婆和他的弟子们都是些没读过书的，肯定不太会说话，让他们向河伯禀报实在是太失礼了，你们都是读过书的人，还是由你们去禀报更合适一些。”说完，又令人把一名官吏扔到了河里。

随后，西门豹凝视着河流的方向默不作声，他身后站立的官吏们都吓得瑟瑟发抖，更是一声也不敢出。

就这样过了很久，西门豹再次转过头来，说道："不但巫婆和她的弟子们没有回来，这回连送去催她们的官吏也没有回来，这可怎么办才好呢，要不你们谁再去催一催？"身后的官吏们都吓得面如死灰（形容因为受到惊吓而脸色变得灰白），生怕下一个就要轮到自己被扔到河中，于是齐刷刷地跪在地上向西门豹磕头求饶，头都磕破了也不敢停下来。西门豹缓缓说道："好吧，那就再等他们一会儿吧。"官吏们连忙谢恩，但仍跪在地上大气也不敢出一声。

过了一会儿，西门豹对官吏们说："好了好了，你们都起来吧，看来是河伯太热情好客了，所以才不肯放他们回来，那就让他们先跟河伯聊着天吧，我们不再去打扰他们了，你们也都回去吧。"官吏们听了，纷纷磕头谢恩，连滚带爬，慌忙地逃了回去。从此，邺城的官吏们都对西门豹十分敬畏，再也没有一个人敢在西门豹面前说起为河伯娶媳妇的事。

而邺城的河曾经总发洪水，实际上根本不是河伯在发脾气，而是因为官吏们只顾着捞钱，不干正事，使河上的堤坝年久失修。在西门豹惩治了巫婆之后，立即组织百姓修理河堤。此后邺城再也没发过洪水。

为了让河水更好地造福百姓，西门豹又组织百姓挖掘灌溉用的水渠。人民本来就十分贫困，自己养活自己都不容易，因此大家都不太想听西门豹的话去挖掘水渠，而西门豹却说："我们做的是为子孙后代着想的事，如今的你们虽然埋怨我让你们辛苦地挖水渠，然而百年之后，你们的子孙后代一定会理解我的苦心的。”果然，等到水渠修成之后，邺城的土地都变成了良田，原本贫困不堪的邺城，逐渐成了魏国最富庶的地区之一，邺城的百姓们也都十分感激西门豹的功绩。

信陵君窃符救赵

魏国有公子叫作魏无忌，在魏安釐（lí）王的时候，被封为信陵君。信陵君为人宽厚，礼贤下士，因此天下的士人都争相前来归附他，据说门客多达三千人。信陵君贤能的名声在各个诸侯国中传播，诸侯国们知道信陵君的贤能，都不敢轻易对魏国用兵。

魏国有一名隐士叫作侯嬴，已经七十多岁了，家中贫困，曾担任看管大梁城门的职务。信陵君听说他很有才德，就亲自去拜会他，然而当信陵君提出想要资助给侯嬴钱财时，侯嬴却不肯接受，说道："我已经坚持数十年修养自己的品行了，到了老年，千万不能因为看城门挣得钱少就接受你的财物，破坏了我的修行。"

信陵君听了侯嬴的话，心中更加敬重他的品行，决心一定要把侯嬴请到自己的门下来。于是有一天，信陵君在家中大摆酒席，宴请魏国地位尊贵的客人，等到大家入席之后，信陵君忽然亲自驾着车马，跑到城门去请侯嬴参加宴席。而侯嬴穿着破旧的衣服，连推辞都不推辞，径直走向车中最尊贵的座位上坐下，想要试探一下信陵君，看看自己这样的行为会受到怎样的对待。而信陵君却一点也不恼怒，反而更加谦恭地为侯嬴驾车。于是侯嬴又准备进一步试探信陵君，他说："我有一个朋友住在市场的内铺里，今天想借着公子的车马去见一见这个朋友。"信陵君想都没想就答应了，载着侯嬴到了市场。侯嬴下车，见到了他的朋友朱亥，而朱亥也是一副完全没有礼貌的样子，一直不正眼看信陵君。侯嬴故意和朱亥说了很久的话，暗中观察在一旁等待的信陵君的态度，信陵君却没有一丝一毫不耐烦的神情，而是更加的温和谦恭。

这个时候，信陵君家里坐满了客人，都在等着信陵君回来宣布宴席的开始。而大街上的百姓们看到信陵君拿着马鞭，一副车夫的样子，都十分好奇，纷纷前来围观。跟从信陵君一起出门的仆人看了，都在心里暗骂侯嬴不懂礼节。而侯嬴观察了许久，发现信陵君一直没有恼怒的神色，于是就满意地告辞了朱亥，上车跟随信陵君回到府上。等到信陵君返回宴会，就把侯嬴请到宴席最尊贵的座位上，参加宴会的客人们都感到非常吃惊。

酒过三巡，信陵君亲自到侯嬴的面前为他祝酒，侯嬴趁机对信陵君说："今天我可是为公子做了很多事啊！"信陵君听了十分惊讶，侯嬴于是解释道："我只是个在城头看大门的，公子这么地位尊贵的人却亲自驾车来请我赴宴，让这么多客人在等候。公子用过分厚重的礼节对待我，而我为了成就公子敬重人才的名声，也故意毫不辞让地接受了公子对我的礼节，并且还在市场上和朋友谈了那么久，一直让公子在旁边像车夫一样等着我，故意让百姓们都知道公子礼让我这件事。公子对我恭敬的态度已经广为人知。我这么做虽然过分，可能大家都会把我当作小人来看待，不过我过分的行为却成就了公子礼敬人才的美名。”

信陵君听了恍然大悟，高兴极了，于是将侯嬴尊崇为最上等的客人。侯嬴又对信陵君说：“刚才我在市场上见的那个朱亥，也是个贤能之士，他隐居在市场的屠户之中，一般人都不知道。”信陵君于是多次前往去请朱亥，朱亥却从来也不应答，这让信陵君感到十分奇怪。

在魏安釐王二十年的时候，秦国和赵国爆发了著名的长平之战，赵国战败，首都邯郸被秦军围困，眼看着就要灭亡。而信陵君的姐姐是赵国公子平原君的夫人，平原君为了解救赵国，多次派人送书信给信陵君，让他说服魏王出兵帮助赵国。信陵君好不容易说服魏王，派将军晋鄙率领十万大军帮助赵国，可正在这个时候，魏王接到了秦王送来的书信，书信上说：“我正在攻打赵国，几天之内就能攻破邯郸城，如果其他诸侯谁胆敢救赵国，等我灭了赵国，马上就来讨伐谁。”魏王看了十分惊恐，于是派人向晋鄙送去口信，让他暂时停止前进。名义上虽然是救赵国，实际上仅仅是在一旁观望而已。

随着赵国的形势越来越危急，赵国的平原君派来向魏王和信陵君求救的使者络绎不绝，平原君对信陵君说：“我和您的姐姐联姻，实在是因为仰慕您的德行——能够拯救别人于危难之中，如今我们赵国危在旦夕（形容危险就在眼前），而公子却不想办法帮助赵国，怎么能够体现您能够拯救别人于危难之中的德行呢？况且，就算是您轻视我不肯救我们赵国，想要眼睁睁看着我们灭亡，那也算了，可是您怎么忍心看到您的姐姐也被秦国所俘虏呢？”信陵君哪里不肯帮助平原君呢，他多次派遣自己擅长辩论的门客去劝说魏王，可是魏王就是害怕秦国，始终不肯答应派兵救赵国。

信陵君尝试了各种办法都不能奏效，于是下定决心，如果赵国灭亡，自己也一定不会苟且活在世上，于是集合宾客，选取愿意和自己一起的人，驾着一百余辆兵车，赶去和秦军拼死一搏。

在信陵君一行路过城门的时候，正好遇到了看门的侯嬴，于是信陵君向侯嬴告别，把自己的计划告诉给了侯嬴，侯嬴对信陵君说：“公子请好好努力，我不能跟公子一起去了。”信陵君离开后，走了几里路，心中一直闷闷不乐，想到自己对待侯嬴已经算是无微不至了，天下人都知道自己对侯嬴的礼敬，如今自己就要前去送死，侯嬴不仅不追随自己，更是没有一句话送给自己，实在是奇怪，难道自己的行为是错误的么？想到这里，信陵君立马调转车头，回到城门，问侯嬴其中的原因。

侯嬴笑着对信陵君说：“我就知道您一定会回来的。公子您喜好结交士人，这件事天下闻名，如今面临危难，没有其他办法，而要亲自去秦军那里送死，简直就像用肉投向饥饿的老虎一样，能有什么作用呢，今后又如何能再去结交士人呢？况且，公子对待我是那么的礼敬，您去送死而我连送都不送您，您一定会心里觉得不对而返回来的。”

信陵君听了十分叹服，于是跪拜在地上向侯嬴请教说：“请先生赐给我拯救时局的办法。”

侯嬴于是支开左右的人，小声对信陵君说："我听说能够调动晋鄙兵马的兵符（古代传达命令或调兵遣将所用的凭证。用铜、玉或木石制成，往往被制作成虎的形状，因此又叫作虎符。制成两半，右半留存在国君，左半交给统帅。调发军队时，必须在符验合后，方能生效）常常被放在大王的卧室里面，而如姬最受大王宠爱，她能够自由地进出大王的卧室，肯定能够趁机偷到兵符。我还听说如姬的父亲曾经被人杀害，如姬悬赏了三年，求过大王和大臣们，想要为父亲报仇，却一直未能如愿。最终全靠了公子，才最终替如姬找到了杀父仇人为她报仇雪恨。正因为这样的恩情，如姬为公子死都愿意，更不用说偷盗兵符这样的事。我看实在是没有其他办法了，只能让公子去求如姬，如姬一定会帮助公子，到时候偷到大王的兵符，率领晋鄙的军队，就可以成功地救援赵国了。"

信陵君听了侯嬴的计策，请如姬。如姬果然给信陵君偷来了兵符。

信陵君就要带着兵符去晋鄙军中调动军队，这时，侯嬴又对信陵君说道："我听说，在外领兵的将领，有时候也会自己衡量形势，而选择不服从君主的命令。如果到时候晋鄙虽然看到兵符，却不听从公子的调遣，再向魏王请命的话，那事情就不好了。我的朋友朱亥可以和您一起去，朱亥是个大力士，如果晋鄙听从公子的调遣，那再好不过；如果晋鄙不听公子，可以让朱亥杀了晋鄙。"信陵君听了不禁哭泣起来，侯嬴问道："公子是怕死吗，为什么哭？"信陵君回答道："晋鄙是勇猛忠诚的将领，我去了他很有可能不听我的，我是为可能会杀了他而感到悲伤，哪里是自己怕死呢？”

于是信陵君去请朱亥同行，朱亥说：“我只不过是市场中的一个屠户而已，而公子多次亲自来请我，我从前之所以不答复公子，是因为能报答您的只不过是一些小事而已，没有什么用处。如今公子面临危难，这正是我可以为您效力的时候啊！”于是和信陵君一起踏上了旅程。信陵君最后向侯嬴告辞，侯嬴对信陵君说：“我本来应该跟您一起去的，可是年老体弱，行动不方便。我留在这里，计算着公子的路程，等到您到达晋鄙军中的时候，我就面向您的方向自刎（wěn 自己割自己脖子，指自杀），用来向您送别。”

信陵君到达晋鄙的军中，用从魏王那里偷来的兵符调动晋鄙的军队，晋鄙果然起了疑心，对信陵君说：“我率领着十万大军驻扎在国境线上，承担着守卫国家的大任，如今您驾着一辆车前来，就要取代我的指挥权，这怎么能让人相信呢？”晋鄙不想听从信陵君的调动，于是朱亥立刻从衣袖中抽出一个重达四十斤的铁锤将晋鄙击杀。就这样信陵君成功取得了军权，率领军队前往赵国攻打秦军，终于击退了秦军，解救了赵国的危难。赵王和平原君亲自迎接信陵君，对他拯救赵国的恩情感激不尽。

而在信陵君与侯嬴分别之后，侯嬴果然在信陵君到达晋鄙军中的日子，面向着信陵君的方向自刎。

魏王知道信陵君偷盗兵符假传自己的命令杀了晋鄙，十分生气，而信陵君也知道自己一回到魏国就一定会遭到魏王的责罚，于是仅派遣其他的将军把魏国的军队带了回去，自己则留在赵国，定居了下来。

魏

义士聂政

韩傀（kuǐ）是韩国的宰相，位高权重；而严遂也是韩国的大臣，因为为人正直而得到韩王的重用。然而严遂却十分看不惯韩傀滥用权力的行为，常常指责他的过失，而韩傀也十分仇视严遂，两个人常常在朝廷中爆发激烈的争吵。有一次，严遂在朝会时议论时政，严厉地批评了韩傀，韩傀颜面大失，于是气急败坏地当众辱骂严遂，严遂气愤地拔出了自己的宝剑，想要砍杀韩傀，两个人的冲突闹得朝廷大乱，后来全靠周围人的阻拦，才没有发生严重的后果。不过，韩傀毕竟位高权重，严遂在冲突之后，非常害怕韩傀今后找机会报复自己，于是从韩国出逃，云游四方，想找人替自己报仇，杀掉韩傀。

严遂到了齐国，听齐国人说起一名义士，名叫聂政，既勇猛又十分讲义气，严遂大喜，于是想寻找机会结交聂政，托他来替自己报仇。

聂政住在破旧的房子里，平常靠给人当屠户、杀猪宰羊为生。

而严遂却不嫌弃聂政身份低微、家庭贫困，频繁去聂政家拜访他，并多次赠送给他财物。聂政见严遂如此厚待自己，心中十分奇怪，问严遂说："您想要我替你做什么事呢，为什么对我这么好？"严遂并不想马上表达自己的意思，回答说："我和您的交情还很浅薄，还有很多想要为您效劳的，哪敢请您做什么事情呢？"

严遂对聂政越来越好，他设宴款待聂政，并向聂政的母亲敬酒，提出要赠给聂政百两黄金，让他供养母亲，聂政十分惊讶，不知道严遂为什么要对自己这么好，于是坚决拒绝严遂的馈赠，并对严遂说："我家中有老母亲需要供养，而家中贫困，因此才出来当屠户，挣些小钱让老母亲衣食无忧。如今我挣的钱已经足够供养母亲，并不需要别人的馈赠。您总是对我这么好，到底想要让我做什么呢？"

严遂回答说："我在韩国遭到仇人陷害，因此才放弃官职，云游各国，想要结交天下的好汉。我在齐国的时候，听人说您是难得的义士，仰慕您的义气，因此才想要结交您。刚才说要赠您百两黄金，只不过是送给老夫人一些衣食用的费用罢了，哪敢对您有什么过分的要求呢？"

聂政听了，也猜到了严遂想让自己帮他报仇的意愿，于是对严遂说："我之所以委屈自己住在这破落的小巷子里，不去成就一番事业，就是因为尚有老母亲需要供养啊。老母亲还健在，我不敢轻易地替别人做事。"于是他坚决地推辞严遂的馈赠。严遂虽然极力推让，但是最终见到聂政态度坚决，也无法强求他，于是尽了礼敬贤人的礼节之后才离去。

之后过了很久，聂政的母亲在聂政的照顾之下安度了晚年。等到聂政的母亲去世，聂政守丧结束之后，想起了严遂曾经对自己的深情厚谊，于是感叹道：“我只是一个普通百姓，在闹市之中干着杀猪宰羊的粗活，地位十分卑微。而严遂曾经是诸侯国的卿大夫，他这样身份尊贵的人，却不远千里来到齐国的破巷子里结交我，对我是这样的深情厚谊，而我对他的回报却是那样的浅薄，没有任何功劳可以值得提及。他曾经要赠给我百两黄金帮我供养母亲，我虽然没有接受，但他对我的情意已经是十分深厚了。自古以来，贤能的人都要知恩图报，哪怕受到别人的一小点恩惠，也要竭尽自己的能力去报答，何况是严遂对我如此的深情厚谊呢！从前他来请我相助，我因为老母亲尚且健在而推辞了他，如今老母亲已经安度了晚年，我再也没有牵挂，可以竭尽自己的能力来报答严遂了！”

于是聂政找到了严遂，对他说：“从前我推辞您，是因为老母亲还健在，如今老母亲已经去世，我再也没有牵挂，可以来为您效劳了，您想要找谁报仇，尽管告诉我吧！”严遂见聂政时隔多年仍然不忘记自己曾经对他的深情厚谊，十分感动。于是向他说了实话：“我的仇人是韩国的宰相，叫作韩傀。他是韩国君主的叔叔，位高权重，又有着严密防卫，我曾经也雇用过刺客前去刺杀他，却一直没有成功。如今有幸能够得到您的帮助，我可以为您准备车马，雇用壮士，来协助您。”

而聂政却说：“韩国离这里不远，不需要乘坐车马。而且刺杀韩傀，不需要那么多人。人一多容易引起别人的注意，反而不容易下手。况且雇用的人不值得信任，一旦他们泄露了刺杀的行动是您所指使，那么到时候韩国人都来找您报复，岂不更麻烦吗？”聂政谢绝了严遂提供的车马，一个人提着一把剑就去了韩国。

等聂政到了韩国，正逢韩国在举办盛会，韩王和宰相韩傀都在场，而护卫他们的卫队人数众多。聂政先是假装宾客混入集会的人群中，走近韩王和韩傀所在的大殿，然后忽然提着宝剑，迅速爬上台阶，向着韩傀就刺了过去。韩傀吓了一跳，慌忙躲避到韩王的身后，聂政一剑就将韩傀刺死，甚至也刺中了韩王，韩王左右大臣们都吓了一跳，乱作一团，聂政大吼，连杀了数十人，发现无法逃出，为了不让别人认出自己而牵连到自己的家人，聂政用剑刺烂自己的脸，甚至刺瞎自己的眼睛，之后剖腹自杀。

韩国的君王和宰相都被刺杀，却不知道刺客到底是谁。于是韩国人将聂政的尸体摆在闹市之中，悬赏千金求人辨认，然而聂政的脸已经被毁得不成样子，过了很久也没人认出他是谁。

聂政有个姐姐，知道聂政替严遂报仇，最终死在韩国的事，感慨地说道：“我的弟弟这么讲义气，我不能因为爱惜自己的性命，就磨灭了弟弟的名声。”于是她毅然前往韩国，看着弟弟的尸体哭道：“好一个忠义勇猛的弟弟啊，跟古代著名的刺客相比也毫不逊色。如今你死了，别人却连你的名字都不知道。我们的父母早就去世了，又没有其他的兄弟，而你自己毁坏脸面，不让别人认出来，完全是为了不想牵连我的缘故啊！我可不想因为爱惜自己的性命，就让弟弟忠勇的美名被埋没。”于是她在众人面前抱着弟弟的尸体，向周围的人高声喊道：“这个人是我的弟弟聂政！”说完，她也在弟弟的尸体旁自杀了。

其他诸侯国的人听到了聂政和他姐姐的故事都十分感动，认为聂政忠勇的名声能够被世人所称赞，并不仅仅是因为聂政的贤能，更是由于他的姐姐不怕被杀，主动来到韩国宣扬聂政的名声的缘故。

邹忌比美

邹忌是战国时期齐国著名的美男子，他个子高高的，浑身上下毫无赘肉，又仪表堂堂，风度翩翩，不知迷倒了多少女子。有一天，他穿好上朝时穿的华丽衣服，对着镜子整理衣冠，望着镜子中映出的自己英俊的容貌，不禁飘飘然起来，突然想到别人总说在城北还住着一个美男子，叫作徐公，这下他心里泛起嘀咕来，心想：这个徐公和我谁长得更英俊呢？正好这个时候他的妻子从一旁走过，于是邹忌问妻子说："听说城北有个美男子叫作徐公，你见过他吗？我和他谁更英俊一点？"

他的妻子回答道："这还用说，当然是你更英俊了啊，那个徐公可远远比不上你！"

邹忌听了妻子的一番夸赞，心里更开心了，不过还是不够放心，过了不久，又对着在一旁干活的小妾问了起来："听说城北住着一个叫作徐公的美男子，你觉得他和我谁长得更英俊一点啊？"

小妾一听，赶忙说道：“那个徐公可比不上您，肯定是您最英俊。”

邹忌听了，心里更加开心，这一天走到哪里都一副笑嘻嘻的样子。不久，有客人前来拜访，邹忌和他谈得十分开心，得知这位客人也认识城北的徐公时，邹忌心里痒痒的，忍不住也向客人问道：“您与城北的徐公是老相识了，我听说徐公仪表堂堂，是我们齐国有名的美男子，可惜没有见过他本人，因此冒昧（mào mèi 表示谦虚，指不顾地位、能力、场合十分适宜）地向您打听一下，徐公真的有那么英俊吗？如果拿我和徐公相比，谁更英俊一些呢？”

客人满脸堆着笑容回答道：“徐公我是见过的，的确是我们齐国数一数二的美男子啊！不过如果和您比起来，那么徐公可是要逊色（比不上）得多了，当然是您更英俊一些。”

邹忌听了，心满意足，越发自信起来，笑着送走客人之后，又继续穿着那身上朝用的衣服在屋子里板板正正地走了好几圈，又照了好几次镜子，自己陶醉在自己的美貌之中。

第二天，邹忌特意找了个理由请了城北的徐公来到自己家里做客，借机想要确认一下徐公的容貌确实不如自己英俊。可是当徐公踏入自己家门槛的那一刻，邹忌简直不敢相信自己的双眼，徐公的仪表光彩照人，让邹忌感到羞愧万分。与徐公交谈时，他一直心不在焉（心不在这里，指思想不集中），而是呆呆地看着徐公的容貌，觉得自己完全无法和徐公相提并论。终于送走了徐公，邹忌怅然若失（形容心情低落，好像失去了什么东西的样子），迷茫地走到镜子前面又照了照，尽管穿着和昨天一样的

华丽衣服，然而早已没有了昨天的自信，越照越觉得自己的容貌比徐公差远了。

到了晚上，邹忌在床上翻来覆去睡不着觉，一直在想这件事，终于想明白了，原来自己的妻子说自己最英俊，是因为妻子向着自己而没有说实话；自己的小妾也说自己最英俊，是因为她害怕自己而不敢说实话；而来访的客人说自己最英俊，是因为想要请求自己办事，所以才一味地给自己说奉承话。身边的人都不能向自己说实话，这是多么可怕的一件事啊。邹忌是朝中重臣，从自己经历上不由自主地想到了朝廷，想到了齐王。

于是第二天，邹忌入朝面见齐威王，想要把自己刚刚领悟到的道理讲给齐威王听，他先解释了昨天自己和徐公比美的事，然后说道：

“臣实在知道自己的容貌比徐公差得很远，然而臣身边的人却都不说实话，这是为什么呢？臣的妻子向着臣，臣的小妾害怕臣，臣的客人想要求臣办事，因此才不顾事实，撒谎说臣比徐公还要英俊。而大王的处境和臣是多么的相似啊！大王您想一下，如今齐国的疆域方圆有数千里，而城池又有一百二十余座，大王的权势如此显赫，那么大王宫中的妇女宫人，哪有不向着大王的呢？这正跟臣的妻子向着臣一样啊！而大王的朝廷中的那么多臣子，谁不会畏惧大王的威严呢？这又正跟臣的小妾害怕臣一样！大王的国境之内，来来往往的人们，哪有不想利用大王的权势而给自己办事的呢？这么说来，又和臣的客人想要求臣办事是一样的啊！臣受到了妻子、小妾和客人的蒙蔽，就已经不能知道自己的容貌不如徐公这件事了，那么由此看来，就大王而言，宫中的妇女宫人、朝廷的大臣、国内的人们恐怕会掩盖更多的真相，让大王一直受到蒙蔽，大王可要提高警惕啊！”

听了这段话，齐威王深受触动，于是为了避免自己受到蒙蔽，下令说：“齐国的群臣和百姓们，如果有人能够当面指正我的过失，就给他上等的赏赐；如果能够上书来劝谏我，就给他中等的赏赐；即便不能如此，能够在大街上或者邻里之间讨论我的过失，经过众人转述让我听到的，我非但不责罚他，还要给他下等的赏赐！”

这样的命令颁布之后，齐国的臣子和百姓们都十分兴奋，为自己君王能够广泛吸收臣下的意见而高兴。于是在命令刚刚颁布的时候，群臣都争先恐后地前去当面给齐王提意见，朝廷每天都像市场那样热闹。吸收了这么多的建议，几个月之后，齐王已经很少会出现什么过失，以至于想要劝谏的人要费很大的工夫才能找到一条值得劝谏的地方。而在命令颁布的几年之后，大臣们虽然想要去进谏，然而齐王几乎已经不再犯什么错误，想要进谏也找不到可以值得进谏的地方。

于是，齐国被治理得井井有条，百姓安居乐业，群臣也忠心辅佐国君，齐国的国力有了很大的增强，这让其他的诸侯国既敬佩又畏惧。齐国附近的燕国、赵国、韩国、魏国听说之后，都纷纷派遣使节，表示愿意向齐国朝贡，依附齐国。

齐国不费一兵一卒，仅仅靠着邹忌在朝中的一条建议，就能够取得这样不凡的成就，这就是所谓的在朝堂之中就能够战胜敌国的意义啊！

足智多谋的孙膑

孙膑是军事家孙武的后人，少年时期曾经和庞涓一同拜鬼谷子为师学习兵法，二人都是鬼谷子的得意弟子，不过孙膑更加聪慧，他的才能始终在庞涓之上。

几年之后，庞涓率先出山准备建功立业。他来到魏国，魏惠王赏识他的才能，任命他为将军。在庞涓的努力下，魏国一天天壮大，成为战国初期诸侯国中实力最为强大的国家。庞涓也因为他的功绩，被魏惠王委以军事大权。然而，已经名声显赫的庞涓却始终惦记着孙膑，他知道自己的才能不如孙膑，一旦孙膑出山，自己肯定要被他比下去。为了长久地保持自己的地位，他设了一条毒计陷害孙膑。

庞涓先是借着同学的身份，盛情地请孙膑来到魏国和自己一起奋斗。孙膑心地善良，得知老朋友邀请自己，就不假思索地答应了庞涓。孙膑完全没有想到庞涓竟然早就在魏惠王面前说了他的坏话，等孙膑一到魏国，就被抓住投进了监狱。庞涓私下指使他人给孙膑胡乱定了罪名，判了挖去膝盖骨的刑罚。从此，受了刑的孙膑再也不能正常行走，成了残疾人。因为庞涓的陷害，孙膑无法再像其他士人四处游说，只能流浪在街头，每天靠乞讨为生。

孙膑遭到自己老同学的背叛，十分悲愤，日日夜夜都在想着脱身的办法。终于有一天，齐国的使者来到魏国的首都大梁访问，孙膑找到机会拜见齐国使者。齐国使者看到有残疾的乞丐求见，本来很看不起他，然而和孙膑一交谈，就发现他谈吐不凡，有着卓尔不群的才能。齐国使者十分惊讶，得知孙膑的悲惨遭遇之后，在回国的时候，偷偷把孙膑带回了齐国，推荐给了当时齐国的大将军田忌。

田忌听说了孙膑的遭遇也十分同情他，就收留了他，但却未能完全了解孙膑的才能。孙膑在田忌那里住了几个月后，有一天发现田忌总是在唉声叹气，一问才知，最近齐王和齐国的公子们总邀请田忌赛马，而田忌的马比不上齐王，因此一输再输，几天时间已经输了数百两黄金了。孙膑仔细打听，知道他们赛马一共有三场，分别是上等马对上等马，中等马对中等马，下等马对下等马，三局两胜。于是孙膑对田忌说："下次您赛马时带着我一起去，我一定能够帮您取胜。"

田忌将信将疑（有一些相信，又有一些怀疑，形容不完全相信），等到下一次赛马的时候还是带上了孙膑。孙膑对田忌说："请您稍微调整一下马匹出场的顺序，用您的下等马对齐王的上等马，用您的上等马对齐王的中等马，中等马对齐王的下等马，这样一定能够取胜。"田忌按照孙膑的办法做，果然虽输了第一场，却赢了随后的两场，取得了最终的胜利。田忌既高兴，又对孙膑的能力十分叹服，于是把他引荐给了齐威王。齐威王与孙膑讨论兵法，也十分佩服他的能力，把他提拔为齐国的军师。

不久之后，魏国派大将庞涓率军攻打赵国，围困了赵国的首都邯郸。赵国派使者到齐国前来求救，齐威王派田忌率军前去支援，任命孙膑作为随军的军师一同前往。一开始，田忌想要像往常作战时那样，率领大军直接奔赴赵国，和赵军一起夹击魏军，迫使他们撤退。孙膑却不同意这一策略，他对田忌说："如果直接奔赴赵国，路途遥远，等我们走到赵国，恐怕赵军已经坚持不住了。况且，就算赵国人能够坚持到我军的到达，如今魏国军势那么强盛，即使我军和赵军联合在一起，也未必能够轻松地战胜魏军。与其这样，不如选取更为轻松的办法解救赵国。如今魏国竭尽全力攻打赵国，那么他们国家的精锐的战士一定都被派到了前线，而老弱病残则留下来守城。我们不如暂且不管赵国，直接回过头来攻击魏国的首都大梁，这么用兵肯定会在庞涓的意料之外，同时也会让魏王感到恐惧，下令让庞涓撤军，援助守城的军队。这样，我们不需要和魏军硬碰硬，就能够轻松解决赵国的危机。而且魏军着急回城，肯定会放松警惕，到时候我们再在魏军回去的途中设下埋伏，一定能够重创魏军。"田忌听了觉得很有道理，于是采纳了孙膑的计划，魏军果然解除了对邯郸的围困，从赵国撤军回救大梁，也果然因为行军仓促而中了齐军的埋伏，遭到了惨痛的失败。这就是历史上有名的围魏救赵。

经过这一仗，魏国元气大伤，不敢再轻易扩张土地。养精蓄锐了十多年后，魏国又开始蠢蠢欲动（比喻敌人准备进攻或坏人策划破坏活动），出兵攻打韩国。韩国向齐国求援，齐国再次派出田忌和孙膑率军前去营救韩国。庞涓听说齐军来了，想要一雪前耻（意为洗掉耻辱），于是舍弃韩国向齐军奔来。得知魏军报仇心切，孙膑向田忌建议说："魏国的士兵以勇猛彪悍著称，他们从前总是看不起齐国，认为齐国的士兵胆小怕事，一遇到强敌就要临阵逃跑。我们应该好好利用他们的这一心理，我想到一条计策，一定能够让他们上当。我们先假装撤退，让他们以为我们害怕了。在撤退途中，我们第一天用十万个灶台为士兵们生火做饭，第二天减少到五万个，第三天再减少到三万个，庞涓懂得兵法，在追击的过程中肯定会清点我们留下的灶台的数量，用来推测我军的人数，我们的灶台一天比一天少，就会让庞涓认为我军撤退是因为士兵们胆怯而不断逃跑，让他进一步轻视我们，放松警惕，我们就可以找到机会将他击败了。"

在追击的途中，庞涓果然如孙膑推测的那样，用清点灶台的方法计算齐军的人数，他看到齐军灶台数量一天比一天少，十分高兴，说道："我就知道齐国人胆小，知道我军前来就立刻逃跑，这才过了三天，他们逃跑的人数恐怕已经超过半数了！"于是，庞涓认为齐军士气已经低落到了极点，一旦追上他们，就能很快将他们击溃。他急着报仇雪恨，建立功勋，不满于带领大军一起追击的行军速度。为了不让齐军逃脱，他亲自挑选出魏军中最为精锐的士兵，每天加速行军，务必要及早追上齐军。

庞涓的想法，全都在孙膑的掌握之中。孙膑推测，庞涓的追兵在当晚就能够到达马陵，而马陵是山区，道路狭窄，两旁的山林正适合设置伏兵。于是，孙膑在山路的两旁埋伏好了大量的弓箭手，准备一举将庞涓的追兵消灭在马陵的山道中。孙膑又命人砍倒一棵大树，剥掉树皮，在白色的树干上刻上“庞涓死于此树下”七个大字，然后把树干横放在道路中央，挡住追兵的去路，并且向埋伏好的弓箭手下令：“等到晚上，看到有人在道路中举起火把，你们就向道路中央放箭！”

庞涓的追兵果然在当晚到达了马陵，看到有大树挡住去路，庞涓起初还以为是胆小的齐军为了延缓追兵的速度而设置的障碍，不过，在暮色之中隐约看到树上好像有字，庞涓十分好奇，于是下马，命人取来火把亲自查看，当看到树上刻的是“庞涓死于此树下”这几个字时，庞涓大惊失色，冷汗直流。正在这时，道路两旁万箭齐发，魏军顿时死伤惨重，士兵们四散逃亡，溃不成军。庞涓知道自己已经无路可逃，于是仰天长叹，咒骂着孙膑，就拔出佩剑，在这棵大树下自杀了。

魏军也因为这次惨败损失了大部分的精锐，从此一蹶不振（比喻遭受一次挫折以后就再也振作不起来），再也没有了在诸侯中称王称霸的资本；而孙膑却因为这次漂亮的胜利而闻名天下，至今仍有《孙膑兵法》传世。

谁最尊贵？

齐宣王在位时，有一个叫作颜斶（chù）的人前来拜见他。齐宣王在大厅里接见了他，并对他说："颜斶，你过来。"可是这个颜斶却丝毫没有上前的意思，反而对着齐宣王说道："大王，你过来。"齐宣王一听，脸色就变了，忍着怒气还未发作，在齐王身边侍奉的人就斥责起颜斶来："好个大胆的颜斶！你这是说的什么话！大王，是一个国家的君主，而你，只不过是臣子而已。大王让你上前，你却反而让大王到你那里去，这成何体统，怎么可以呢！"颜斶却不为所动，义正词严地回答说："如果我听大王的话，那是贪慕权势的表现，而如果大王听我的到我这里来，那是爱惜人才的表现。与其让我贪慕权势，不如让大王爱惜人才。我这么做，又有什么不可以呢？"

齐宣王听了再也按捺不住，拍着桌子生气地说："简直岂有此理！是王者更尊贵，还是你这个士人更尊贵？"颜斶回答说："那当然是士人更尊贵。"齐宣王本想吓一下颜斶，却没想到他会这么回答，于是惊讶地说:“你凭什么这么说，有什么缘由吗？”颜斶不紧不慢地说：“当然有。从前秦国攻打齐国的时候，秦王曾经对士兵们下令说，‘从前鲁国有个贤人叫柳下惠，如今他的墓在齐国的境内，这次攻打齐国，你们一定不能破坏柳下惠的墓穴，如果有人胆敢在他墓地五十步以内的地方胡乱砍伐树木，那就将他处死，绝不宽赦！’此外，秦王还曾下令说，‘谁能给我砍下齐王的头来，就封他为万户侯，赏赐黄金万两！’假如我们将这两个命令合起来看，前一代王者的脑袋，还不如死去的贤士的坟墓更重要，所以我说士人更为尊贵。”齐宣王听了颜斶的话，不知道应该怎么回答，还是很生气，默默不语，左顾右盼。

看了齐宣王的眼神，在他两旁侍奉的人立刻走上前来，质问起颜斶道：“颜斶啊颜斶，要我怎么说你啊！大王拥有着广阔的土地，强大的军队，能驱使无数的百姓，地位的尊贵谁能够比得上？天下的士人，只要是能讲求仁义的，都争前恐后地来大王这里效力。那些有才能和智慧的人，无不前来向大王进献策略；天下人，无论是普通士人还是诸侯王，没有不拜服大王、尊崇大王的。在大王这里，你想要什么就有什么，天下这么大，就没有大王没有的东西，且齐国的百姓上上下下，没有人不自愿为大王效力、对大王心服口服的。如今，即便是那些自视清高的士人，也仅仅可以称自己为‘匹夫’而已，士人们要什么没什么，没有车辅助出行，只能靠自己的双脚走路。没有收入，只能亲自耕种田地来养活自己，为了生计，甚至还要到偏远的地方去做看门的小官，士人的地位简直卑微到了极点，也配和大王来比较吗？”

颜斶却回答说："事情可不是这样的。我听说，贤明的君王大禹统治国家的时候，许多诸侯国的国君前来朝拜他。大禹之所以有如此的成就，正是因为他积累了深厚的德行，而德行的积累，又是因为得到了士人的帮助。同样的，正是凭借贤能士人的帮助，舜才能够从一个普普通通的农夫，变为治理天下的君主。商汤同样凭借士人的辅助，才能获得三千多诸侯的朝拜。可是如今呢？别说哪国的君主能得到诸侯的朝贺，就连贪图名号、不顾君臣之礼而自称天子的都有二十四人，天子的名号简直是名存实亡了。古代的君王德行如此深厚，现在的君王却如此荒乱失德，如此大的差距，就是因为现在的君王不懂得尊崇士人啊！这些窃取君王之位的人，一旦失势，那么别说自身，恐怕整个宗族都难以保全。您刚才说士人为了生计要去当看门的小官，也不可能啦！然而君主们要是失势了，想当看门的小官也不可能啦！"

听了颜斶的回答，原本咄（duō）咄逼人，质疑他的大臣们都羞愧难当，纷纷退了回去，齐宣王脸上的颜色也从愤怒变成了羞愧。颜斶接着说道："所以说，那些身居上位的人，如果没有实实在在的德行，只是对自己的名位沾沾自喜的话，就会骄傲自大，而一旦骄傲自大，就必然会招致祸患。因此，仅有着高贵的名位，而没有实实在在的德行，那是不能够长久的。想要长久，只能把高贵的名位放在一边，而专门去修炼德行，这就务必要向贤能的士人求教。因此，古代的贤明君王，像尧、舜、禹、汤他们，身边都有一大批贤能的人。从古至今，唯有得到贤能士人辅佐的君王才能够统治天下，而那些空有名位而不知

道尊崇士人的，别说统治天下了，就连长久地保存自身，恐怕都做不到!

因此，作为君王，如果想要长久地保存自己的名位，就一定不能骄傲自大，而应该虚心向士人们请教。从前被人们称颂的贤明的君主，像尧、舜、禹、汤、周文王等等，没有一个不是这样的。老子曾经说，‘地位高贵的人，一定要以卑贱作为根本；高大的事物，也一定要以底下作为根基。’因此，为了牢记这样的道理，君王们才纷纷用‘孤、寡、不谷’来称呼自己。所谓‘孤、寡、不谷’，都是卑贱的词汇，用来形容那些处于地位最低下的人，君王用这样的词来称呼自己，不就是要自谦、尊崇士人吗? 尧把君王的位置传给贤能的士人舜，舜又把君王的位置传给贤能的士人禹，周成王时，重用贤明的士人周公旦……历朝历代的人都称颂尧、舜、周成王是贤明的君主，这不正表明士人地位的尊贵吗? ”

听了颜斶的这番话，齐宣王的脸上充满了惭愧，于是感叹道: “啊! 先生您真是个正人君子! 君子是不能侮辱的，我刚才说的话，真是自己让自己难堪啊! 如今听了先生的一席话，我终于明白了什么样的人是君子，什么样的人是小人。请先生您收我为弟子，我愿意虚心向先生学习，我要给您最高的待遇，让您乘坐规格最高的车，赠给您的妻子和儿子最华美的衣服! ”

颜斶对齐宣王许下的荣华富贵并不心动，而是坚决推辞，他说：“请大王让我用玉来做比喻。玉生于深山之中，一旦把它从山中取出来打磨加工，就会破坏玉的本性，虽然还能称得上珍贵，但毕竟不如未经过打磨的完美。士人正如玉一样，大多生长在偏远的山野之中，如果受到推荐而被任用，获得丰厚的俸禄，也会损坏了他们的本性，扰乱了他们的心绪。我还是想回去，即便得不到荣华富贵，即使每天饿着肚子，偶尔有粗劣的饮食，我也可以像吃肉那样美味；出行的时候只要慢一点走路，也不亚于乘坐华丽的车马；且不当官、不犯下什么罪过比富贵要难得多；不费尽心思阿谀奉迎别人、保持内心的清净和纯洁才是我最想要的。况且，大王是发号施令的人，而我只是进献忠诚正直的言论的人。我想要进献的忠实的话都已经说过了，只要大王能够听进去，或者觉得有一点帮助，我的任务就已经完成了。大王还是放我回去吧！”

说完，颜斶就向齐宣王行了礼，转头走出了宫殿，踏上了返乡的路途。

颜斶既清明正直，又知道满足，懂得返璞归真（fǎn pú guī zhēn 指去掉外在的装饰，返回最为纯朴的状态。璞，指没有经过琢磨加工的玉石）的道理，因此终身都没有受到过屈辱。

画蛇添足的比喻

昭阳是楚国的大将，他英勇善战，受到楚王的重用。一次，楚王命令他率领军队攻打魏国，他击败了魏国的军队，攻占了八座城池。然而，立下了这样的功勋，昭阳仍然不满足，他计划趁着士气高涨，继续率军向东，攻打齐国。

齐国听说此事之后十分恐慌，准备调集军队迎战。这时陈轸（zhěn）站了出来，向齐王说自己有不费一兵一卒就能够让楚国退兵的计策，齐王听了将信将疑，然而一时之间又找不到什么更好的办法，于是就派遣陈轸，让他去楚军中尝试说服昭阳。

陈轸见到了昭阳，首先向他行礼，祝贺他取得了对魏国战争的胜利。昭阳知道陈轸是齐王派来的说（shuì）客（游说别人，劝说别人接受某种主张的人），本来并不打算给陈轸好脸色看，想要把他直接赶走的，却没想到他并没有劝说楚国退兵，反倒赞扬起自己的功绩来。他心里十分高兴，就没有下令驱逐陈轸。

借着机会，陈轸问昭阳："将军您取得了这么显赫的功绩，按照楚国的法令，应该会被授予什么样的官职、封给什么样的爵位作为奖励呢？”昭阳得意地说道：“会被授予上柱国（楚国的最高武官），封上执珪（guī 楚国的最高爵位）。”陈轸又接着问道：“你们楚国，有没有比上柱国、上执珪更为显贵的职位呢？”昭阳回答道：“那恐怕只有令尹（楚国的最高官职，相当于宰相）了。”

陈轸又说：“令尹的职位可是一人之下，万人之上啊。不过楚国只可能有一个令尹，如今这个职位已经有人了，将军您即便功勋显赫，恐怕也当不上令尹了。那么上柱国、上执珪恐怕是将军能够得到的最高的职位了吧。”

昭阳点了点头，说：“正是这样。不过，能得到上柱国、上执珪的职位我已经很满足了，并不奢求（过分的要求、过高而难以实现的要求）令尹的位子。”

陈轸笑着说：“将军您如果真的这样想，那么您的想法和行动恐怕很矛盾吧！”

昭阳惊讶地说：“这怎么可能！你到底是什么意思？”

陈轸回答道：“将军先不要着急，请允许我慢慢讲给您听。我来到这里之前，曾经听说过一个楚国人的故事。曾经有个人家，在忙完祭祀的工作之后，赏赐给前来帮忙的人一壶酒。可是前来帮忙的人实在太多，一壶酒如果平均分给大家，每个人恐怕只能分到一小口，那怎么能够过瘾呢？于是，其中的一个人就向大家建议说，‘这壶酒如果我们平均分了的话肯定不够喝，而只给一个人却正好合适。我们比赛吧，大家都在地上画一条蛇，谁的蛇先画好，就把这壶酒给这一个人喝。’众人都觉得这是一个好主意，于是纷纷行动起来。

过了不久，有个人先把蛇画好了，他取来那壶酒，刚要仰头喝掉，可是看了看身旁的众人还远远没有画完。于是动了个小聪明，他左手拿着酒壶，右手又拿起笔来，自言自语地说道，‘你们画得都太慢了，看我不仅画蛇画得快，我还能给蛇加上只脚！’他边说边真的给蛇画上了四只脚。

正在这个时候，另外一个人忽然站起身来，把酒壶抢了过去，原来他的蛇也画好了，这个人说道，‘蛇本来就没有脚，你画的这是什么东西，画得快有什么用，那根本不是蛇！’于是将那壶酒一饮而尽。早早画完蛇的人本来已经大功告成，却非要耍小聪明、多此一举，给蛇画上了脚，丢掉了本应该得到的那壶酒。”

昭阳听陈轸讲完这个故事，若有所思地问道：“你的意思是说，我就是这个最先画好蛇的人？”

陈轸回答道：“将军您果然见识高远。您如今率领楚军击败魏国，攻下了足足有八座城池，立下了如此显赫的功业，接着又率军东向，将要攻打齐国，让齐王害怕得要命。在这样的情况之下，您的名声和功德已经达到顶峰了。正如同这个最先画好蛇的人，应该去取走属于您的酒然后享用才对。如果您还不知足，非要去攻打齐国，那么即便将军您曾经百战百胜，但行军打仗的事情谁能够说得准呢？万一有什么意外，您失利了，或者生命受到威胁，爵位和官职恐怕也难以保全，这样的话，您和这个已经画好了蛇，却非要多此一举给蛇添上脚的人有什么区别呢？到头来恐怕连已经到手的酒也会丢失掉的啊！”

昭阳听了之后，恍然大悟，认识到再继续攻打齐国对自己

只有风险，没有丝毫的好处，于是下令撤兵，解除了齐国的威胁。

陈轸始终没有向昭阳直接说起撤兵的事，仅仅靠着这样一个“画蛇添足”的故事来比喻，就达到了让昭阳撤兵的目的，真的是巧妙至极啊！

奇怪的门客

齐国有一位著名的公子，叫作孟尝君（齐国宗室，姓田名文，是齐威王的孙子，著名的“战国四公子”之一。另有魏国的信陵君魏无忌、赵国的平原君赵胜和楚国的春申君黄歇，四人皆以礼贤下士，喜好结交宾客闻名），他门下有食客数千人。他十分好客，只要前来投奔的人多少有些才能，他都会接纳他们，为他们提供衣食，常常用自己的钱财来供养他们。

一天，有一个叫作冯谖（xuān）的人，家里实在是太穷了，没有办法自己养活自己，就托了关系找到孟尝君，想要投奔他的门下。孟尝君豪爽地接待了他。孟尝君见到冯谖，问他说：“先生你有什么爱好呢？”冯谖回答说：“没有什么爱好。”孟尝君觉得十分奇异，又问道：“先生有什么擅长的本领吗？”冯谖回答说：“我什么也不擅长。”孟尝君无奈地摇了摇头，觉得可能遇到了想要吃白食的人，不过他不忍心打发他走，还是把他留了下来，供给他衣食。孟尝君身边的人十分看不起冯谖，只给他吃十分粗陋的食物。

冯谖在孟尝君那里住了些日子。有一天他忽然靠着柱子，敲着剑，歌唱道："长剑啊长剑，我们还是回去吧，在这里都吃不到鱼！"周围侍奉的人把这件事告诉了孟尝君，孟尝君一听就笑了。他虽然觉得这人很过分，可还是满足了他的愿望，对侍奉的人说："那就给他鱼吃，像对待其他的门客一样对待他吧。"过了不久，冯谖又敲起剑，唱起歌来："长剑啊长剑，我们还是回去吧，在这里出门都没有车可以坐！"周围侍奉的人都笑话他的不知足，然而，孟尝君知道这件事后，还是满足了他的愿望，提供了出门用的车。冯谖乘着车，带着他的剑，在城中四处炫耀，遇到了他的朋友，还对他的朋友说道："你看看，孟尝君多么看重我，把我尊为上等地位的客人。"可是后来又过了不久，他竟然又敲起剑，唱起歌来："长剑啊长剑，我们还是回去吧，在这里没有收入，都没办法可以养家！"周围的人听到了，都十分讨厌他，认为他贪婪而不知足。可是孟尝君却并不在意，反而问他说："冯先生既然说到养家的事，那么请问您现在还有什么亲戚需要奉养吗？"冯谖说："家中还有老母亲需要奉养。"孟尝君派人给他的母亲也送去了食物和生活器具，答应照顾她的生活起居。从此以后，冯谖才再也没有唱他那"长剑啊长剑，我们回去吧"的歌。

后来有一天，孟尝君颁布了一个文告，想要寻找有能力的门客帮他的忙。文告上写道：你们有谁精通统计账务相关的学问，能替我到我的封地薛邑去催收欠款吗？这时，从来不干什么正事的冯谖站了出来，在文告上写下自己的名字，向孟尝君推荐自

己。孟尝君看到了冯谖的签名，想到冯谖一直白吃白喝，从没帮孟尝君干过什么正经事，就故意问侍奉的人说："这个人是谁啊，是我的门客吗，我怎么想不起他？"大家哪能忘掉这个麻烦的人啊，于是赶忙对孟尝君说："就是曾经唱'长剑啊长剑，我们还是回去吧'的那个人。"孟尝君听了笑着说："看起来此人果然是有特殊技能啊，是我对不住他，这么长时间都没有向他当面请教。"于是孟尝君立刻去见冯谖，当面向他请罪说："我最近事务缠身，自身又能力不足，治理国家的事已经让我焦头烂额（形容忙碌得十分狼狈），一直没能抽出时间当面向先生请教，实在是对不住先生了。先生竟然不怪罪我，关于到薛邑去征收欠款的那件事，先生果真有意要代替我跑一趟吗？"冯谖回答道："当然可以。"于是，孟尝君给他准备好了车马，并把欠款的借据等文书交付给了冯谖，送他起程。临行前，冯谖向孟尝君拱手告别，并问道："等我收完薛邑的欠款，需要买些什么东西带回来呢？"孟尝君说道："先生您看我家里有什么缺的，就买一些回来吧。"

冯谖乘车到了薛邑，派相关官吏去召集那些欠账的人，让他们都过来核对账单。等到人们都到齐，核对好账单之后，冯谖在众人面前站了起来，假装传达孟尝君的命令，免除了所有人的欠账，并且当着众人的面把账单全部烧掉。众人激动极了，纷纷表达着对孟尝君的感激之情，高喊"孟尝君万岁"！

随后，冯谖马上返程，一大早就到了齐国的首都，敲门求见孟尝君，孟尝君刚刚起床，心里觉得奇怪，怎么冯谖这么快就完成任务了啊。于是他急急忙忙穿好衣服，来到正厅接见冯谖，问道：“先生把欠账全都收齐了吗？怎么这么快就回来了啊？”冯谖回答道：“都收齐了。”孟尝君又问道：“那么，你又买了些什么东西回来了吗？”冯谖说：“您曾说，‘买一些家里缺的东西回来’，我就按照您的吩咐去买东西。不过据我观察，您的家里到处都是珍宝，什么都不缺，所以我就犯了愁，仔细想了半天终于发现，原来您家里所缺的是仁义啊！于是我就自作主张为您买了些仁义回来！”孟尝君一听十分疑惑，于是问道：“买仁义，这是怎么一回事？”冯谖回答说：“如今您只有薛邑这么一小块的土地，却不爱惜那里的人民，还要向他们索要钱财。于是我擅作主张，假传您的命令，将他们的债务全都免除了，并且为了表示诚意，还当场烧掉了欠条，他们可都呼唤您‘万岁’呢！这就是我为您买到的仁义。”孟尝君一听，满脸的不高兴，强忍着没有发作，冷淡地对冯谖说：“好了好了，就这样吧，你回去吧。”

后来，过了几年，有人在齐闵王面前说孟尝君的坏话，齐闵王听信了，就对孟尝君说：“您是先王的旧臣，我不敢再继续任用你了。”于是罢免了孟尝君的职务，孟尝君迫不得已，只能返回自己在薛邑的封地。等他的车马到了离薛邑尚有一百里的地方时，就看到薛邑的父老百姓带着酒食远远地赶来迎接孟尝君，孟尝君被深深地感动了，于是找到冯谖，对他说：“先生您给我买到的仁义，我今天终于看到了，实在感谢先生！”说着就要向冯谖行礼，而冯谖赶忙辞让，并说道：“人家都说，狡猾的兔子都要挖三个洞窟作为自己的住所，这样才能够迷惑敌人，让他们找不到自己住在哪里从而保全性命。再来看您呢，如今仅仅有一个洞穴而已，尚且不能高枕无忧（头枕在枕头上面，舒服地睡安心觉，比喻平安无事，不用担忧），请允许我为您再挖掘两个洞穴吧！”孟尝君听了十分高兴，于是赐给冯谖五十辆车，五百斤黄金，让他前去为自己谋划。

冯谖带着车队和金子，浩浩荡荡地前往梁国，对梁惠王说：“齐国把孟尝君流放在外，孟尝君可是举世闻名的贤臣，各个诸侯国谁先礼聘他过去，就能让谁的国家富裕强盛！大王您还不赶快行动去把孟尝君请回来啊！”梁惠王听了十分高兴，当下就下令将现在的宰相改任大将军，把宰相的位置空出来留给孟尝君，并派遣使者带着千斤黄金、数百辆车来请孟尝君去梁国。

见完梁惠王之后，冯谖率先返回，将梁国礼聘的消息告诉孟尝君，并对他说：“千斤黄金，是贵重的钱财；车马百辆，是十分显贵的礼节。梁惠王对您如此礼敬，齐王一定会听说这事的。”于是，梁国派来的使节屡次想要拜访孟尝君，都被孟尝君拒绝了。齐闵王也听说了这件事，朝廷上下都十分害怕孟尝君被其他国家请走，齐闵王就派遣太傅带着一千斤黄金、两辆华丽的彩车、佩剑一把、书信一封，信里向孟尝君赔罪：都是我的不好，受到奸臣的蒙蔽，得罪了您。我如今认识到了自己的过错，我简直不配做齐国的君主啊！请您看在齐国列祖列宗的份上，返回都城，再次出任宰相，守护先王的宗庙，帮助我治理齐国的百姓吧！”冯谖向孟尝君建议说：“您应该先向齐王请求先王祭祀用的器具，在薛邑建立宗庙，才能令齐王遵守承诺啊！”孟尝君照办。等到宗庙建成之时，冯谖终于对孟尝君说：“现在您的三个洞穴已经建成了，上有齐国宰相的位子，下有您的封地薛邑，中有梁国宰相的位子，这下您终于可以高枕无忧了！”

此后，孟尝君几十年一直担任齐国的宰相，都没有遭受到哪怕是一点点的祸患威胁，这可都是依靠着冯谖“狡兔三窟”的计谋啊！

胜败的关键

田单是齐国有名的将军。齐燕两国发生战乱，齐国即将战败时，正是因为田单将军的坚持，齐国才得以反败为胜，击败了燕国，收复失地，起死回生。

有一次，田单想要率领军队攻打狄城。在出征之前，田单正好去拜访齐国著名的贤士鲁仲连，二人相会时，田单对鲁仲连说起了自己将要率军攻打狄城的事。没想到鲁仲连却说道："将军这次攻打狄城，恐怕很难攻打下来。"田单一听就非常不高兴，立刻反驳说："这怎么可能？从前齐国面临危难的时候，我仅仅凭借这一座城池的地盘，带领着为数不多的残兵败将，就击败了有着数万辆兵车、实力强大的燕国，恢复了我们齐国的江山。如今面对一个小小的狄城，你竟然敢说我攻打不下来，真是岂有此理！"田单说完，还没等鲁仲连回答，就起身出门，连个招呼都不打，气呼呼地上车离开了。

不久，田单果真率领军队浩浩荡荡地向狄城进发，虽然田单一副势在必得的样子，但战事的进展并不像他想象的那么顺利。田单虽然围困了狄城，却一连三个月都没能攻下，眼看着军粮就要消耗殆尽，如果再没有进展就只能失败，铩羽而归。这时，齐国人们议论纷纷，开始怀疑田单的带兵能力，甚至在军队之中也渐渐地人心不稳。

这样的形势，令田单十分担忧，于是他再次来到鲁仲连家里，这次他收敛（liǎn）了曾经的张扬，毕恭毕敬地向鲁仲连请教道："先生，上次的不辞而别实在是我的过错，我在这里向您道歉！可是我还有一件事想要向您请教，您之前说我攻不下狄城，请问是为什么呢。我如今的确在战争中遇到了难处，还请先生为我指点一下应该怎么做。"

鲁仲连回答道："将军从前的确是以弱胜强，击败了不可一世的燕国，立下了匡扶我们齐国社稷（shè jì 指代国家。"社"和"稷"本是土神和谷神的称呼，古代国家以农业为本，因此社稷被作为国家的代指）的功勋。可是当时的将军，被围困在即墨这样一座小城里，您当时可是退无可退，于是只能振奋勇气，鼓舞士卒们说，'大家已经没有退路了，我们的国家也面临着生死存亡，如今，即便我们面前只有死路一条，也应该义无反顾地冲上去，为了我们的国家，牺牲是无上的光荣。勇士们，勇敢地上阵杀敌吧！'在那个时候，将军可是有着必死的决心，士卒们也随时准备好为国家而献出自己的生命，因此士卒们听了将军的话之后深受感染，个个都流下了热泪，群情激昂，大家都志在奋勇杀敌。正因为有这样高昂的士气，将军才能率领士卒们一举击败燕国的军队，立下不朽的功勋。可是现在呢？将军您因为曾经的功勋而受到了丰厚的赏赐，如今您可是有着广阔的封地可以供您衣食，有着精巧的园林可以供您享乐，而且衣着光鲜、器用华美，在这样的环境之下，将军您心中更多的恐怕是贪图享乐的心思，还怎么会再有必死的决心呢？然而行军打仗却是个不是你死就是我亡的事，您如果没有必死的决心，是不可能取得胜利的。这就是我之前说您恐怕很难攻下狄城的原因。”

田单听了，悔恨地拍了拍自己的脑袋说：“先生真是一语点醒了我，我明白该怎么做了。请先生放心，我一定找回曾经的必死之心。”

第二天，田单就亲自上阵，激励士卒，将自己的生死置之度外（指不把个人的生死利害放在心上），甚至在敌人的弓箭能够射到的范围内亲自为士卒们敲鼓，激励他们勇敢向前。士卒一看自己的将军都能不避风险，亲自上阵，于是士气高涨，奋勇冲锋，曾经三个月没能攻下的狄城，竟然在这一天之内就被攻下来了。

可见，胜败的关键不在军队数量的多少，也不在国家实力的强弱，而在于临阵之时，主将是否怀抱着必死的决心，士卒们是否有着高昂的士气啊！

社稷之臣

楚威王即位，想要寻访贤臣，任用他们来治理国家，于是找来臣下莫敖子华问道："从先君文王到本朝，有没有不贪图爵位和俸禄（fèng lù 古时候发给官吏的报酬），能够真正地忧心社稷的臣子啊？"莫敖子华回答道："这种议论臣子是否贤能的事情，可不是同样作为臣子的我能说的。"而楚王继续追问道："可是不问您，我又从哪能知道呢？"于是莫敖子华回答道："既然大王这样说了，那么请问大王，您要打听的是不贪图爵位，安于贫困而忧心社稷的臣子呢？还是要打听喜好爵位，在乎俸禄却也忧心社稷的臣子呢？还是要打听甘于抛头颅洒热血，牺牲生命奉献给社稷的臣子呢？还是要打听不辞劳苦，无时无刻不忧心社稷的臣子呢？还是要打听不贪图爵位和俸禄而忧心社稷的臣子呢？"楚王一听十分诧异，问道："先生您的话是什么意思呢？我们楚国真的有那么多贤明的社稷之臣吗？"

莫敖子华回答道："当然有，请听我为大王一一道来。从前我们楚国的令尹子文，上朝的时候身穿朴素的长衫，在家的时候穿着鹿皮做的破旧衣服。天还没亮的时候就早早地上朝办公，等到太阳落山了才回家吃饭，天天都在忙着公务，没有一天是在为自己谋划，因此家里连一点积蓄都没有。因此所谓的不贪图爵位，安于贫困而忧心社稷的臣子，就是令尹子文啊！

从前，楚国有叶公子高这样的人物，他虽然没有英俊的相貌，却有着能够辅佐国家的大才。他辅佐国君的时候，指挥军队平定了贵族们的叛乱，为楚国营造了安定的内部环境，对外又能够发扬我们先君的德行，将楚国的影响散播到国外，让我们的边境不被侵犯，使楚国的威名在诸侯之中得到远扬。在叶公子高主政之下的楚国，天下的诸侯没有谁胆敢南下向我们楚国的边界踏入哪怕一步。而叶公子高自身享受着广阔的封地，他的爵位崇高、俸禄丰厚，这就是我说的既喜好爵位，在乎俸禄，却也忧心社稷的臣子！

从前，当楚国和吴国在柏举这个地方交战时，形势对楚国十分不利，莫敖大心对战事十分忧心，他对身旁的车夫感叹道，'楚国今天可能要面临危亡了啊！作为楚国的臣子，我要和楚国共存亡，如今我就要冲进吴国军队里，如果能扑倒一人，或者击杀一人，用我的生命来换取敌人的性命，那么就多多少少能为挽救楚国的危亡贡献一点力量啊，这样我即便死了也能安心！'说完莫敖大心就冲进敌军之中，很快就壮烈牺牲。我说的甘于抛头颅洒热血，牺牲生命奉献给社稷的臣子，就是指的莫敖大心这样的人啊！

楚国和吴国在柏举交战的时候，楚国的军队失利，吴国的军队接连三次击败我们楚军，攻入了楚国的首都郢（yǐng）都，楚王也因此而出城逃亡，公卿大夫们都跟随楚王而去，楚国的百姓大都流离失所。在这时，楚国的臣子棼（fén）冒勃苏说道：‘战败的形势暂时已经无法挽回，我如果也披上铠甲，拿起兵器去和敌军拼命，那么即便英勇牺牲，所起的作用也就只如同一名普通的士兵而已，恐怕不能够对挽救社稷有什么大的帮助，与其这样，不如尽我自己的力量去向其他的诸侯国求救，或许还能够帮楚国挽救危亡的形势。’于是他准备好粮食秘密出发，一路全靠步行，攀山越岭，历尽艰难险阻，身上穿的衣服全都磨破了，露着膝盖也继续前行，鞋子破了，光着脚也不放弃，用了整整七天，终于艰难地到达秦国的首都。他每天都守在秦王的宫殿前请求秦王的接见，日夜哭泣不止，可是连续七天仍然没受到秦王的接见。而他滴水未进，终于精疲力竭，昏倒在秦王的宫殿前。秦王听说还有这样执着的人，于是被深深地打动，赶忙来到殿前，捧起他的头，亲自喂给他水喝，等他稍稍苏醒了，秦王问道：‘你是谁啊，为什么来到这里？’棼冒勃苏回答说：‘我是楚王派来的使者棼冒勃苏，我们楚国在柏举这个地方败给了吴国，吴国军队已经攻入我们的都城郢都，楚王逃离了首都，公卿大夫们都在跟随楚王逃亡，百姓们流离失所。楚王让我来向大王告知这一消息，并祈求大王能够出兵相助。’秦王听后，让棼冒勃苏起身，可是只要秦王不答应出兵相助，棼冒勃苏就在地上长跪不起，秦王被他的忠义所深深感动，于是下令派兵万人支援楚国，秦国的援军最终击败了吴军，帮助楚国解除了危机。因此，我说的不辞劳苦、无时无刻不忧心社稷的臣子就是指的棼冒勃苏这样的人啊!

同样是在柏举之战中，楚国臣子蒙谷当时正在宫唐这个地方与吴军作战，听闻楚国大败，郢都被吴军攻下。于是蒙谷立刻撇开吴军，奔向郢都，将楚国的法典等重要文献转运出来，带着它们逃离到山野之中。等到楚国挽回败局，楚昭王重新返回郢都的时候，由于法典缺失，百姓们都无法可依，社会秩序混乱。这时蒙谷出来，将他抢救出来的法典重新献出，终于使楚国的治理又有了依据，百姓们又可以安居乐业，他的功劳之大，几乎相当于保全了整个楚国。因此，楚王为了奖赏他的功绩，封给他高官厚禄，并赐给他数百亩良田，然而蒙谷却生气地说，‘我可不是贪图功名利禄的大臣，而是因为担忧楚国的社稷才做这些事情的。做了我的分内之事，怎么能够接受高官厚禄的赏赐呢？’于是他向楚王告辞，返回山中隐居，至今仍然没有接受任何官职与俸禄。因此，我所说的不贪图爵位和俸禄而忧心社稷的臣子就是指蒙谷这样的人。”

楚王听了之后长叹道：“先生您说的这五位大臣，的确都是贤明的社稷之臣啊。可惜他们都是过去的人了，如今再想要寻求这样的大臣，又怎么能够找得到呢？”

莫敖子华回答说：“从前，楚灵王喜欢腰细的人，于是楚国的人为了满足楚王的喜好，纷纷吃很少的东西以求把腰饿细。于是楚国的人们常常饿得没有力气，需要扶着墙才能走路，可是他们却从不放弃，即使是面对很想吃的东西也要强忍着不吃，就算这样饿下去会死掉也毫不畏惧。由此可见，君王的喜好，决定了臣下的行为。大王说如今没有贤臣，那么其中的原因，

恐怕是因为大王只是嘴上说说喜好贤臣罢了，实际上并没有多么喜好。如果大王真能喜好贤臣，那么臣下早就争着抢着去做贤臣了。像上面的五位社稷之臣一样的人，当然也可以轻松获得啊！”

蛇蝎心肠

战国后期，魏国日渐衰弱，而楚国则是南方的强国，魏惠王为了讨好楚国，使出了美人计，他派人在本国四处寻访，终于选到了一个举世无双的美女，赠送给了楚怀王。楚怀王本来就是好色之徒，得到了魏国来的美女，十分满意，天天令她侍奉自己，也渐渐冷落了后宫的其他妃子。

楚怀王的宠妃叫郑袖，嫉妒心非常强。魏国来的女子长得如此美貌，本就让她坐立难安，而又得知楚怀王对魏国女子百般宠爱，更是让她恨得牙根痒痒。然而如果当面就和魏国女子闹起来，凭着现在楚王和魏国女子的热乎劲儿，她自己揣测恐怕很难讨到便宜。正在左右为难之际，她忽然想到了一条毒计，不禁嘴角微微上扬，接着便紧锣密鼓地实施起来。

郑袖首先装作非常喜欢魏国女子的样子，非常注意和她处好关系，在自己宫里挑选最好看的衣服和玩物给魏国女子送过去，还为她精心选取首饰，布置宫中的器物摆设。对魏国女子的事，郑袖甚至显得比楚怀王还要上心。于是过了不久，郑袖就和魏国女子结成了无话不说的好姐妹，魏国女子也十分信任郑袖，对她说的话几乎是言听计从。

不久之后，郑袖十分照顾魏国女子的事也传到了楚怀王的耳朵里。楚怀王听说郑袖一点嫉妒心也没有，十分高兴，说道："女人嘛，都是仰仗着美色来讨丈夫欢心。女人之间的嫉妒心本来是人之常情，可是如今郑袖知道我喜欢新来的魏国女子，非但不嫉妒她，反而和她关系那么好，照顾魏国女子所用的心思甚至比我都要多。这就和孝子孝顺父母、忠臣爱戴国君一样，郑袖真是个懂事的妃子啊，我这下可安心了！"可是，愚蠢的楚怀王哪里能够察知到郑袖的真心呢！

郑袖知道了楚怀王对自己很放心，一点也不怀疑自己嫉妒魏国女子，于是就展开了第二步的行动。她有一天在和魏国女子的谈话中，有意无意地向魏国女子说："妹妹，看到大王那么喜欢你，姐姐真是为你感到高兴啊！不过，姐姐可是听说，虽然大王非常欣赏妹妹的美貌，却唯独对妹妹的鼻子不是很满意，妹妹以后见到大王的时候，可以适当地遮掩一下自己的鼻子，这样没准会更能讨到大王的欢心呢！"魏国女子听了，一点也没有怀疑，当下就对郑袖说："多谢姐姐的提醒，我这就按姐姐说的办，姐姐这么关怀妹妹，妹妹可得怎么报答姐姐才好呀！"郑袖笑了笑说："这不都是为了共同侍奉好大王嘛，我们二人相互帮助，共同伺候好了大王，这可比什么都强呀！"

魏国女子果然听从了郑袖的劝说，每次见到楚怀王，都有意地用袖子遮掩自己的鼻子，以为这样做，楚怀王就会更喜欢自己。可是，楚怀王从来没有说过不喜欢魏国女子的鼻子这样的话啊，于是屡屡看到她遮掩鼻子的行为，心里感觉十分奇怪，却一直也没问她这是怎么回事。

直到有一天，由郑袖来服侍楚怀王，楚怀王想起了魏国女子最近的奇怪举动，向郑袖问道："最近魏国来的那个女子，见到我的时候总是用袖子遮住鼻子，我总觉得很奇怪，也不知道是为什么，你觉得这是怎么回事啊？"郑袖一听，当即装作大惊失色的样子，用慌张的语气对楚怀王说："啊，这……这件事，臣妾可不知道。就……就算知道也不敢说。"楚怀王一听，觉得其中似乎另有玄机（在表面之外，另有深层次的原因），于是追问道："快给我说实话！就算是有什么难听的话，也一定要告诉我。"郑袖这才假惺惺地对楚怀王说："那臣妾可就直说了，臣妾听说，她好像是嫌弃大王身上臭，因此才总是遮住鼻子。"楚怀王一听，顿时火冒三丈，吼道："大胆！这个泼辣的妇人！真是反了天了，竟敢这么说我！"于是立刻下令，让手下的人去把魏国女子的鼻子割下来，不得有片刻延误。

于是，魏国女子就这么被郑袖陷害，失去了鼻子，被打入冷宫，再也不可能得到楚王的喜爱，连见到楚王的面、申明冤屈的机会都难以得到。用出这样毒计的郑袖，真是蛇蝎心肠啊！

自作自受的楚怀王

秦国是战国时期最为强大的国家，而在秦国以外的强国，还有在东方的齐国和在南方的楚国。秦惠王在位的时期，齐国和楚国的关系十分友善，两国经常结成联盟，与西方的秦国相抗衡，这让秦惠王十分苦恼。

有一次，齐国与楚国结成联盟攻打秦国，攻下了秦国的曲沃城。秦国与楚国相接壤，原本就总有战争，然而齐国位处东方，与秦国相距很远，竟然也来派兵攻打秦国，这让秦惠王十分气愤，于是想要报仇，计划派兵攻打齐国。可是一想到齐国与楚国关系很好，如果千里迢迢（形容路途十分遥远）出兵齐国，楚国很有可能借着这个机会来偷袭自己。因此秦惠王非常忧心，找来了张仪商议对策。张仪听了秦惠王的苦恼，想到了一条对策，于是对秦惠王说："大王请给我准备好车马和金钱，剩下的事情就交给我吧。我准备出使楚国，一定能够破坏齐国和楚国的关系，解除大王的后顾之忧（指在前进过程中，担心后方发生问题）。"

秦惠王听了张仪的话十分高兴，于是立刻按照张仪的请求给他准备了车马和金钱，张仪于是南下楚国。

到了楚国，张仪得到楚怀王的接见，张仪说："臣能得以瞻仰大王的雄姿，真是莫大的荣幸啊。大王声名远播，我们秦国的国王都十分敬仰大王，更不用说像我这样地位低微的小臣，如果有一天能给大王做臣子，那简直是做臣子最为荣耀的事情啊！而那个齐王与大王比起来可就差得远了，我们秦王最为讨厌的就是齐王，对小臣来说，也没有比齐王更让我讨厌的人了。最近齐王无缘无故来攻打我国，我们的曲沃城都被他占领了，我国君臣上下都迫切地想讨伐齐国，出了这口恶气。然而小臣听说大王和齐王建立了同盟关系，因此我们不敢轻举妄动。我们秦王曾经感叹，因为齐楚联盟的存在，秦国不能很好地去侍奉大王了。而小臣自己又何尝不是如此呢，想要投奔大王，可又因为齐国的这层关系横在眼前，让臣不能去死心塌地地效忠于大王。正因为这一点，臣前来楚国，拜见大王，如果大王能够废除与齐国的联盟，和齐国断绝往来，臣一定能够说服秦王把商于附近方圆六百里的土地献给大王。如果这样，失去了与楚国的联盟，齐国的实力一定会遭到削弱，齐王就再也不能和大王平起平坐（比喻彼此地位或权力平等），反过来要仰仗着大王，受大王驱使。于是，断绝与齐国的邦交，大王在北方能够削弱齐国；在西方又能让我们放心地去讨伐齐国，给予了我们秦国莫大的恩惠；对自己来说又能够得到商于那一大片的土地，这可是一石三鸟（一块石头砸中三只鸟，用来比喻一个举动达到三个目的）的计策呀！"

楚怀王一听到张仪和秦惠王如此看重自己，不觉飘飘然地骄傲起来，又听说自己不出一兵一卒，就能够得到商于方圆六百里那么一大块肥肉，于是不假思索就答应了张仪的请求，张仪满足地离开了。

第二天，楚怀王越想越觉得自己占了个大便宜，在朝堂上召集众臣，宣告说："我已经从秦国那里得到了商于的土地，足足有方圆六百里呢！"群臣听到了之后，纷纷上书祝贺，而唯独没有见到陈轸的贺书，楚王十分疑惑，找来陈轸说："我不费一兵一卒，就能够从秦国那里得到商于方圆六百里的土地，我甚至自己都佩服自己的机智。大臣们都已经上书祝贺我了，只有你竟然不来祝贺我，你到底是什么意思呢？"陈轸回答说："我认为商于的土地恐怕很难得到，而且令人忧患的事情恐怕会发生，因此不敢随便祝贺。"

楚怀王脸上一热，有些生气地问道："这是为什么？"

陈轸回答说："秦王之所以重视大王，是因为有齐国的威胁存在。如今尚未将商于的土地完全掌握在自己手中，就要和齐国断绝邦交，那么我们楚国不就陷入孤立无援的困境中了吗？秦国重视的是一个拥有盟友的楚国，而怎么会看重一个孤立无援的楚国呢？如果能够先把商于的土地拿到手，然后再与齐国断绝关系，那么秦国也就没有什么办法了。如果先与齐国断绝关系再去请求土地，那么恐怕会上了张仪的当啊。如果真的上了张仪的当，大王肯定不会善罢甘休（心甘情愿地放弃某事），而是会要向秦国讨要说法。如果真的这样，那我们楚国在西面与秦国的关系会变差，在东面又与齐国断绝了关系，那么正好给他们两个提供了可乘之机，一旦他们俩勾结起来攻打楚国，那我们可就危险了啊！”

楚怀王涨红了脸，十分生气地说道：“哼，这是我的事情，我就这么决定了！你快给我闭嘴，等着看吧，我的计策肯定能够成功！哼！”说完，楚王就把陈轸给撵(niǎn 驱逐、赶走)了出去，并马上下令派出使者前去与齐国断交。楚怀王急迫地想要证明自己，甚至派出的第一个使者还没回来，马上又派了第二名使者，想要赶紧把断交的事情办妥，好去向秦国索要商于之地。

话说回到张仪，他哪里像他自己说的那样诚实呢？从楚国回来不久，他就和秦王一起商量，马上派了使者偷偷出使齐国，暗地里与齐国结成了联盟，这正印证了之前陈轸所说的话。

蒙在鼓里的楚怀王正高兴地派遣将军准备去接受商于的土地，却没想到碰到了钉子，商于的秦军说根本没听说过割让土地的事。楚国的使者又跑去找张仪理论，然而张仪却称病不上朝，楚国的使者根本见不到张仪。这时的楚怀王竟然还没有领悟到是张仪欺骗了自己，还以为是不是张仪以为自己和齐王断交得不够彻底，怕有反悔的事发生啊！于是楚怀王又派了使者去齐国辱骂齐王，让齐王彻底憎恨楚国，两国的关系几乎再也不能修复。

知道了这些，张仪果然不再称病了，他接见了楚国的使者，不过这时的张仪早已不是当时出使楚国时那样的卑躬屈膝（形容没有骨气，低声下气地讨好奉承），而是一副高傲的神情，在地图上随便画了一小块，说道：“从这里到这里，一共方圆六里的土地，你们拿去吧！”这可让楚国使者倒吸了一口冷气，马上质问道：“不对不对，您当初说的可是六百里的土地啊，这六里是怎么一回事？”张仪说：“我要给你们的是我自己的封地啊。我这样一个微末小臣，能有多少封地啊，哪里会有六百里那么多的土地来给你们，可不要开我的玩笑了！”使者气得再也说不出话来，于是连夜返回楚国禀报楚怀王。

楚怀王听到了使者的禀报，气得瞪圆了眼睛，大声咒骂张仪，骂了不知道多久，下令将军们整顿军队，不久就要讨伐秦国，出了这口恶气。侍奉在一旁的陈轸频频摇头，上前小心翼翼地对楚怀王说：“大王，可以让我说几句话么？”

楚怀王看了看是陈轸，上次不听他的话吃了亏，却又不好意思承认错误，虚心向陈轸请教，反而千方百计地想要找回面子，于是又是羞愧又是愤怒，没好气地对陈轸说：“行行行，你说，你说！”

陈轸说道：“我认为在这个时候讨伐秦国并不可取。大王不如割让给秦国一个大都市，来换取与秦国的联盟，和秦国一起讨伐齐国，这样我们即使没能从秦国那里得到土地，还能够从齐国那里得到一些补偿，楚国能够得到保全，这样才是可行的办法。如今大王已经和齐国绝交，还要讨伐秦国责备他们的欺骗，这不是我们逼着齐国和秦国两国结成联盟吗？如果我们非要攻打秦国，到时候齐国趁机来攻打我们，那可是十分危险的事啊！”

楚怀王听了更加愤怒，斥责陈轸说：“什么，还要让我给秦国这样的小人之国割让土地，呸！别在这胡说八道了，我一定要让秦国为他们的可耻行为付出代价！”

于是楚怀王下令军队向秦国发起攻击。秦国早就预料到了楚国的行动，而且果然像陈轸说的那样，秦国和齐国结成了联盟，甚至拉来了韩国一起对抗楚国，楚国的军队遭到大败，原本强大的楚国也因为这次战争从此一蹶不振（比喻一遭到挫折就不能再振作起来），再也没有和秦国、齐国相抗衡的实力。楚国的土地原本十分广阔，人民原本也十分富足，然而楚国却陷入了几乎灭国的凄惨境地，这都是因为楚怀王不肯听从陈轸的正确意见，反而轻信了张仪的谎言所造成的啊！

屈原投江

屈原在楚怀王的时候，曾经担任楚国的左徒（楚国官名，掌管内政外交）。屈原富有治理国家的才能，很快就将国家治理得井井有条。而且屈原又擅长语言表达，经常出使各国，为楚国争取到了很多利益。楚怀王也十分信任屈原，命他执掌楚国的内政和外交，在屈原的努力之下，楚国呈现出一派繁荣的景象。

上官大夫是屈原的同事，他原本和屈原地位差不多。然而眼看屈原越来越受到楚王的信任，取得了越来越多的成就，心中生起了强烈的嫉妒心，想要把屈原排挤下来，使自己取代屈原的地位。

有一天，屈原正在为楚怀王起草国家的法律，还没有写完，上官大夫就非要抢过来看，屈原不同意。上官大夫借着这个机会，就跑到楚王那里告状，说："大王您让屈原制定法律，现在全国的人都知道了这件事。可是屈原并不是在真心诚意地为您办事，只是在树立自己的名声。他每制定一条法规，就认为都是自己的功劳，常常对别人说，‘如果不是我，楚王不可能制定出这么适当的法律，把国家治理得这么好。’”楚怀王十分昏庸，轻易地就听信了上官大夫的谗言（诽谤、挑拨离间的话），认为屈原如此看不起自己，生气地解除了屈原的官职，甚至不听屈原解释，越来越疏远屈原。

屈原被解除了左徒的职务之后，不能再在楚怀王身边为他提供建议。借着这个机会，秦国派遣张仪来游说楚怀王，而楚怀王也轻易地听信了张仪的话，认为只要和齐国断交就能够毫不费力地得到秦国的六百里土地。然而等到楚怀王真和齐国断交之后，却发现受到了张仪的欺骗，一寸的土地也没有得到。楚怀王十分愤怒，主动出兵攻打秦国，却遭到了惨败，楚国的汉中也被秦国趁机夺了去。

第二年，秦国主动派使者来到楚国请求休战，提出要把汉中的土地还给楚国，作为两国议和的条件。然而楚怀王愤怒的心情并未平复，他十分痛恨曾经欺骗了自己的张仪，于是说道：“我最痛恨的是张仪，想要跟我议和的话，我并不需要汉中的土地，只要把张仪交给我，我就甘心了。”张仪知道之后，将计就计（利用对方所用的计策，反过来对付对方）地说：“如果仅用我张仪就能为秦国换来汉中的土地，那真是再合适不过的事了啊，我心甘情愿被送到楚国。”

然而等到张仪来到楚国之后，他用大量金钱收买了楚怀王的宠臣靳尚，又给楚王宠爱的妃子郑袖献上了大量的金银财宝，让他们给自己说情。在靳尚和郑袖的花言巧语之下，楚怀王竟头脑犯浑，改变了原来杀掉张仪的主意，下令放走了张仪。这时屈原已经被楚怀王疏远，正在齐国出使，等屈原回国听说了这事，马上冲进宫中向楚怀王进谏，质问他为何不杀掉张仪。楚怀王这才醒悟过来，派兵追捕张仪，然而张仪早已经逃回了秦国，昏庸的楚怀王不仅没能报张仪的欺骗之仇，还白白地失掉了汉中的土地。

后来，秦昭王想要和楚国联姻，于是邀请楚怀王来到秦国参加庆典。楚怀王兴致勃勃地想要去参加，而屈原察觉到了秦昭王的野心，向楚怀王进谏说："秦国是虎狼一样的国家，只会占别人的便宜，从来不讲信用，绝对不可以相信他们。他们这次邀请大王前去肯定也不怀好意，大王一定不要轻易前往。"然而楚怀王的小儿子子兰却对怀王说："既然是秦国邀请了大王，没有理由拒绝他们的好意，否则得罪了秦国怎么办？"怀王宠爱小儿子，不假思索地就听信了子兰的话，启程前往秦国。

当楚怀王过了武关，踏上了秦国的土地之后，秦国却派遣伏兵堵住了怀王的退路，扣留了怀王，并以此要挟楚怀王，让他割让一大片土地才答应放他回国。楚怀王十分愤怒，当然不肯答应秦国的要求，于是逃亡到赵国，可是赵国也惧怕秦国，不肯接纳楚怀王，楚怀王无奈地返回了秦国，一直被秦国所扣留，直到死也没能重返楚国。

楚怀王客死在秦国之后，他的大儿子即位成为楚顷襄王，任命他的弟弟子兰为令尹。但是楚国人都对子兰不满，认为正是因为他的劝告，楚怀王才被秦国欺骗，最终客死他乡。屈原也对楚怀王客死秦国感到十分悲痛，写下了著名的《离骚》，在其中痛切地抨击了楚怀王信任小人、疏远忠臣所招致的祸患，并寄寓了自己对楚国的无限忠心，希望后继的顷襄王能够吸取教训，重振楚国的国运。

然而令尹子兰看到了之后却十分生气，认为屈原这是在讽刺自己。于是子兰为了巩固自己的地位，和上官大夫勾结在一起，继续在顷襄王面前说屈原的坏话，顷襄王也同样分不清楚谁是忠臣谁是小人，竟然也听信了上官大夫和令尹子兰的谗言，愤怒地流放了屈原。

可怜的屈原空怀着满腔的爱国热情，却不幸遭遇昏君和奸臣陷害，一身的才能得不到施展，他失望透顶，于是披头散发，面色憔悴，在流放地的江边漫无目的地游荡着，可是心中的哀愁始终得不到排解。这时，江边的渔夫认出了屈原，见到他落魄的样子，疑惑地问他说："您不是曾经的三闾大夫（楚国的官职，主持宗庙祭祀等活动）屈原吗？怎么沦落到了如今这个地步？"

屈原感叹地说："整个世界的人都污浊不堪，只有我一个人能够保持清洁；整个世界的人都烂醉如泥，只有我一个人还保持着清醒，正因为我和其他人有着如此的不同，才被他们所流放。"

渔夫又说："我听说所谓的圣人，并不固执己见，而能够跟随世事的变化而变化。如果全世界的人都污浊不堪，您为什么不和他们一起浸染在污浊之中呢？如果全世界的人都烂醉如泥，那您为什么不和他们一起沉醉下去呢？为什么非要固守着自己的美好品德，而让自己遭到流放的命运呢？"

屈原回答道："我听说即便是普通人，刚刚洗过头发，在戴上帽子之前一定要清理自己的帽子；刚刚洗过澡，在穿衣之前

一定要洗干净自己的衣服。哪有人愿意让自己干净整洁的身体遭受肮脏的外物的污染呢？我坚守着自己的美好品德也是一样，我宁可跳到江里，葬身在鱼虾的肚子里，也不要留在这个污浊的世界中和肮脏的人同流合污。”

说完，屈原吟了一首《怀沙之赋》，哀戚地诉说自己品行的高尚与命运的凄凉，之后便毅然决然地怀抱巨石，跳入汨（mì）罗江中，从此告别了这个污浊不堪的世界。

庄辛的预言

楚襄王继承了楚国的王位后，喜好奢侈，眼看着国家一天比一天衰落，大臣庄辛十分担忧，于是就向楚襄王劝谏说："大王的左右有州侯、夏侯、鄢陵君、寿陵君这样的奸佞（jiān nìng 奸邪谄媚的人）小人，大王宠幸他们，日夜与他们游玩，纵情在奢侈淫乱之中，而丝毫不顾及处理国家的政事，如果再这样下去的话，我们楚国恐怕就要面临亡国的危险啊，我们的首都郢有朝一日也会难以保全啊！"楚襄王听了之后大怒，斥责庄辛说："先生你是老眼昏花了吗？还是想要诅咒楚国遭遇厄运啊？"庄辛回答道："我只是从形势来推测而已，并不是要诅咒楚国。大王如果一直宠幸这四个奸臣，那么楚国一定会灭亡。大王如果不信的话，请让我们打一个赌，请让我暂时去赵国避难，在那里静观楚国形势的变化，一年之内如果楚国平安无事，我甘愿回来受罚。"楚襄王正对庄辛十分厌烦，于是马上下令把他赶到了赵国。

然而仅仅五个月之后，秦国便出兵攻打楚国，楚襄王根本没有做充分的准备，因此前线的楚军失败连连，大片土地都沦丧敌手，甚至连郢都也被秦国攻下了。楚襄王狼狈地逃出了首都，勉强保住了性命，暂且在城阳这个地方避难。这时，楚襄王终于想起了庄辛曾经说的话，大为惭愧，想着庄辛那里可能有令楚国恢复元气的办法，于是派遣使者前往赵国向庄辛道歉，并请求他从赵国回来，帮着挽救楚国的危亡局势。

见到使者，庄辛没说什么就同意了，他连夜赶回，来到楚襄王面前。楚襄王认识到了错误，十分惭愧地向庄辛行礼道歉，并对他说："都是我的不对，我不能采纳先生的意见，才遭遇了如今的惨败。可是事情已经发展到今天的地步了，先生认为我们楚国应该怎么办才好呢？"

庄辛回答说："我听说有句俗语说道，'见到野兔再放出猎犬去追捕，也不算错过了时机；等到羊圈里的羊丢失了才想起来加固羊圈的事，也不算是太迟。'我听说曾经的商汤和周武王，他们的封地仅仅方圆百里而已，然而他们就是凭借着这百里的封地统一天下，建立帝王的功业；夏桀和商纣王，他们都是全天下的君主，然而即便拥有全天下的土地，却仍然遭到灭亡。如今我们的楚国虽然接连丧失土地，国土越来越狭小，但是比上不足比下有余，仍然保存有数千里的土地。这么看来，依凭我们现存的实力，想要建立功业的话，绝对不会比仅有百里土地的商汤和周武王困难的。"

听了庄辛的话，楚襄王终于稍稍安心了一点。不过，庄辛只是为了安抚楚襄王，给他提供必需的信心，因此才说挽救楚国的危亡，乃至在当后的形势下追求霸业都不是不可能的事。可是庄辛明白，以楚襄王如今的昏庸无能、贪图享乐，肯定是不能够成就一番事业的。于是他紧接着又开始劝谏楚襄王，提出一切的关键在于楚襄王能在修炼自身上下多大的功夫。他说道：

“大王见过蜻蜓吧，蜻蜓有六只脚，四只翅膀，能够在天地之间自由地飞翔，饿了就找些蚊虫来吃，渴了就仰头喝那甘甜的露水，它从未和谁有过争斗，于是就自认为不会遭遇到什么祸患。却不知道顽劣的小孩子们早就做好了陷阱等着它，他们在网上面涂上胶水，粘住飞翔中的蜻蜓用来玩耍。原本自由自在不懂得忧患的蜻蜓，最终的下场，只能是凄惨地被小孩子们杀掉。

蜻蜓只不过是小小的昆虫而已，在鸟雀之中，其实黄雀也是如此。它飞得比蜻蜓要高，饿了可以四处搜寻粮食吃，累了就飞到茂密的树上栖息，平时振动翅膀自由地飞翔，也自认为从不与谁争斗，因此不会遭遇祸患。却不知道那些富家公子们制作弹弓，偷偷瞄着它的脖颈，一发弹丸就足以要了它的命。不知道忧患的黄雀，白天还在茂密的树木中嬉戏，晚上就被打下来制成桌上的菜肴，这只不过是一瞬间发生的事啊！

黄雀也只不过是小鸟而已，其实飞得更高的黄鹄（hú）也是如此。黄鹄在大江大海上飞翔，在大湖之中游戏，饿了就在水中捉鱼或者吃水草，振动它那强健有力的翅膀，就可以驾驭着清风，飞翔在高远的天空之中。它也和谁都没有什么争斗，因此自认为不会遭到什么祸患。却不知道善于射箭的人，正在调试他们的弓箭，瞄准了在高空中飞翔的黄鹄。只需轻轻地松动弓弦，就能让正在清风中翱翔的黄鹄跌落在地上。不知道忧患的黄鹄，

白天还在大江大海上飞翔，晚上已经被人放在锅中炖成了美味。

黄鹄也毕竟只是鸟雀而已，比黄鹄的地位高得多的诸侯王蔡灵侯的事情也是这样，他爱好游览，向南曾到风景秀丽的高陂游玩，向北曾登上那高耸入云的巫山，渴了就从山间的小溪中打水喝，饿了就钓来湘江中的鱼吃，左右有着美女服侍，用车载着他们一同四处游览，唯独不关心国家的政事。却不知道将军子发已经承受了楚宣王的命令攻打蔡国，不知道忧患的蔡灵侯，最终国家被灭，自身也被擒获，沦落为阶下囚（在公堂的台阶下等待受审的犯人，泛指在押的俘虏）。

蔡灵侯也只过是一个小国的亡国之君罢了，不如用大国的君主——大王您自己的事来做类比。大王您和州侯、夏侯这样的小人交往，而又同鄢陵君、寿陵君这样的奸佞小人一起乘车，享受着从全国各地运来的美食，挥霍着从百姓那里搜刮来的黄金，还和这四个奸臣一起去大江大河中游玩，对治理国家的事情全然不管不顾。而不知道这时候穰侯已经从秦王那里接受命令，将要进攻我们楚国，郢都因此而陷落，不知道忧患的大王也因而狼狈地被驱除出国家的都城，沦落到今天这样窘迫（非常穷困）的局面。”

楚襄王听了庄辛的话，大惊失色，脸上一阵红一阵紫，身体也颤抖不止，羞愧得只想找个地缝钻进去。于是他痛加反省，准备重用庄辛，给他高官厚禄，让他执掌楚国仅剩的淮北的土地，谋划振兴楚国的事业。在庄辛的帮助之下，楚襄王也最终让楚国渐渐走出了衰落的窘境，重新呈现出兴盛的气象。

汗明推销自己

汗明是战国末期有名的说客。有一天他来到楚国，准备投奔著名的公子春申君（名为黄歇，战国末期楚国大臣，曾在楚考烈王时被任命为楚国宰相，并被封为春申君。与魏国信陵君魏无忌、赵国平原君赵胜、齐国孟尝君田文并称为“战国四公子”），可是来投奔春申君的门客实在太多，再加上春申君正担任楚国的宰相，公务繁忙，因此汗明一直等候了三个月，才终于得到了春申君的接见。与汗明面谈之后，春申君极为高兴，极为欣赏汗明的才学。然而，正当汗明想要继续阐述自己的见解时，春申君却并没有继续听下去的意思，反而对汗明说：“通过刚才和先生的谈论，我已经深深了解了先生的才能，知道先生不是平凡之辈，先生现在可以去休息一会了。”

汗明听了之后十分惊讶，才没说几句话，春申君竟然草率地认为已经十分了解自己了。于是他对春申君说：“我还有一个问题，十分想请教公子，公子已经是天下闻名的贤人了，那么请问公子的贤明与尧相比如何呢？”

春申君回答道：“先生您这就说笑了，我怎么能够被拿来和尧相比呢？尧是千古以来传扬不止的圣明君主，我只不过是一个普通人罢了。”

汗明接着问道：“那请问公子，您看如果把我和舜相比，怎么样呢？”

春申君回答道：“先生的才能，完全可以和舜相匹敌啊。”

汗明听了连忙摇头，说道：“公子您的话恐怕是有问题的，如果您不介意，请允许我再占用一些您的时间，完整地解释明白我的意思。公子您虽然贤能，但是的的确确是比不上尧的，而我的才能也显然是比不上舜的。然而舜曾经是尧的臣子，贤能的舜为圣明的尧做事情，却历经了整整三年，才真正地被尧所了解。这两位贤能的人达到相知的程度都历经了长时间的考验，而公子您才跟我说了几句话而已，就自认为已经十分了解我了，那公子的意思不就是您比尧更要贤明，而我比舜更有才能吗？”

春申君一听十分惭愧，说道：“幸亏先生赐教于我，要不然我恐怕一直不能发现自己有这样的过失。”于是他立刻下令，让左右的人把汗明的名字记录下来，列为上等宾客，并且规定每隔五天就要接见汗明，向他请教一次。

可是对于五天接见一次的结果，汗明仍然不满意，他认为春申君如果真正赏识贤人，应该如饥似渴地无时无刻不向贤人请教，而不是五天接见一次这样的敷衍(fū yǎn 表面上应付)了事。于是汗明又说道：

“公子您听说过千里马的故事吗？请允许我用千里马的故事

来向您说明知遇贤人的道理。千里马和其他的普通马匹往往被混在一起，它的能力不容易被人察觉。而到了一定的年龄，千里马也和其他普通马匹一样，被人用来做拉车的活。曾经有一匹千里马，在没有被人认出之前，被人用来拉运盐的车前往太行山。然而它天生拥有的是能够奔跑千里而不知疲倦的能力，而不是背负着沉重的货物爬山的能力。于是，沉重的货物让它磨损了蹄子，扭伤了膝盖，盐和汗水洒了一路，终于到了半山腰上，精疲力竭的它再也无力前行。正在主人为此而责打它的时候，碰巧遇到了途经此地的伯乐（相传为春秋时人，善于相马。后常常被引申为善于发现、选拔优秀人才的人），伯乐是相马的高手，一眼就认出了这是一匹千里马，于是立即下车来到这匹马的身边，扶着它的背不禁为它哭泣，哀叹着它的千里之才被埋没在了运送货物的苦役之中，还解下自己的衣服，盖在千里马的伤口之上。此时的千里马激动得流出了热泪，虽然疲惫地喘着粗气，却仍然仰起头来纵情高呼，它的声音慷慨激昂，甚至能够直接穿透天空，如同敲击金石一样清脆洪亮。这是为什么呢？是因为它知道伯乐就是自己的知己啊！公子啊，如今的我就如同这千里马一样，虽然身怀才能，却从未得到赏识，因而遭遇困顿，居住在简陋的房子里，每日粗茶淡饭，在这庸俗不堪的世道中已经沉沦很久了。现在我终于遇到了贤明的公子，然而公子却不想重用我，难道公子不想让我像那匹千里马一样，竭尽所能为公子您而高呼吗？”

听了汗明这番痛切的陈词，春申君很受感动，终于决定重用汗明。

春申君之死

楚考烈王的时候，春申君是楚国的宰相。这时的楚国，有一个令楚国臣民担忧的问题。楚考烈王已经到了壮年，却一直没有儿子，楚国的君王没有儿子，楚国就没有继承人，王位的传承就会受到影响。因此春申君和楚国的大臣们都为此不断地采取措施，积极地为楚王选取妃子。他们专挑那种看面相容易生出儿子的女子进献，可是一连好几年，这些女子还是没能为楚王生出儿子来。而楚考烈王又身体不好，常常生病，眼看着他一天比一天虚弱，楚国的君臣都为此忧心忡忡（形容十分忧愁）。

这时，有个赵国人叫作李园，正寄居在楚国，他有一个妹妹，长得十分标致（形容人的容貌出色），是公认的美女。他也想借这个机会把自己的妹妹献给楚王做妃子，让自己成为君王的亲戚，借此机会飞黄腾达（形容仕途得意，官职上升得非常快）。可是，他的妹妹虽然美貌，却在面相上并不是那种容易生出儿子的人，李园因此担心即便献上了自己的妹妹，也会因为生不出儿子而失宠，自己的野心也就竹篮打水一场空了。于是他仔细谋划，想了半天，终于得到了一条计策——他想要借着宰相春申君的势力来实现自己飞黄腾达的梦想。

于是，李园先是主动跑到春申君那里，请求当他的门客。而好客的春申君很自然地就接纳了他。接着，李园又主动请求担任照顾春申君起居的工作，他想借着这个机会，能够天天接触到春申君，与他拉近关系。几个月后，李园果然和春申君混熟了，得到了春申君的宠信。李园自认为时机已经成熟，便进一步实施起他的计谋。

有一天，李园故意向春申君请假，说要回家办点事情。李园在家中待了很久，故意超过了约定好的时间，才返回见春申君。春申君自然觉得奇怪，于是问李园为什么迟到。李园听了，假装惊恐的样子骗春申君说："刚才家里来了齐国的使节，说齐王想要娶我的妹妹为妃子。毕竟是齐国派来的使节，我实在不敢怠慢他，就和他多喝了几杯酒，因此耽误了返回的时间，还请公子不要责罚我。"

春申君早就听李园说起过他有一个貌若天仙的妹妹，这回又听到连齐王都想要纳他的妹妹为妾，好色的春申君不由自主地心里痒了起来，想看看到底是怎么样的一位美女。于是对李园说："那么齐王已经下了聘礼，定下了这门亲事没有啊？"李园说："还没有，齐国毕竟太远了，我也担心妹妹嫁得太远不好照应，所以暂且还商量着，没有定亲。"春申君一听，觉得有戏，于是对李园说："早就听说你的妹妹貌若天仙，能不能让我也见识一下啊？"看到春申君果然中了自己的圈套，于是李园一口答应下来，当即就把自己的妹妹带到了春申君的府上，春申君一眼就被李园的妹妹所深深吸引。看到春申君迷离的眼神，李园在一旁满足地偷笑，知道自己的计策即将得逞（dé chěng 形容达到目的，多指阴谋或坏事成功），于是顺势提出将妹妹献给春申君，春申君一听大喜，当即将李园的妹妹纳为妾。

春申君十分宠爱李园的妹妹，不久，她就怀有了身孕。李园知道了这事，就把他接下来的计划说给了妹妹听。他妹妹也是个有心计的人，于是满口答应，和李园一起展开他们的诡计。

一天，李园的妹妹找了个机会，对春申君说道：

“公子您得到楚王的信任已经很久了，楚王对您的信任，甚至都要超过他自己的亲兄弟。如今，凭借着楚王的信任，您已经做了二十多年的宰相，算得上是尊贵到了极点。可是，您有没有想过长保富贵的事情呢？楚王直到如今还没有儿子，一旦楚王驾崩，没有儿子作为继承人的话，那王位恐怕只能传给楚王的兄弟了。如果这样，一旦楚王的位置更换，新继位的楚王一定会任用他们自己的亲信，那么您如今的崇高地位恐怕就难以维持下去了啊。更何况，您在宰相的位子上任职久了，位高权重，长期以来，难免有不少得罪楚王的兄弟的地方，一旦让他们继承了王位，恐怕会第一个来找您算旧账的啊！到了那个时候，别说您宰相的位置和江东的封地了，即便仅仅想要保全性命，恐怕也是很难的啊！”

春申君一听，这话正说中了自己平时最为担心的问题，不禁大惊失色，问道：“我平时也一直在担心这个问题啊，你说该怎么办。”

李园的妹妹回答道：

“公子您先别急，我这里有一个计策，不知道您觉得可不可行。如今我虽然已经怀上了您的孩子，不过这件事只有您和我知道，其他的人都不知道。而且我蒙受您的宠信并没有多久，您可以趁着这个时候把我献给楚王做妃子。有您如此尊贵的人出面，楚王一定会宠信我。如果得到了上天的帮助，我生下的孩子是个男孩，那么这个孩子将来就自然成为王位的继承人，如此一来将来的楚王可就是您的亲生儿子了啊！到那个时候，整个楚国都会掌握在您的手中，之前那些难以预测的祸患，岂不是全都变得没有问题了吗？”

春申君听了之后大为高兴，对这一计策赞誉非常。于是他当即就把李园的妹妹转移到了一个秘密的住处以避开别人的耳目，几天之后，又把她进献给了楚王。由春申君亲自出面进献，又加上李园的妹妹的确美貌非常，楚王果然十分满意，尤其宠信于她。十个月之后，李园的妹妹竟然真的生下一个男孩，楚王大喜，立他为太子，又封李园的妹妹为王后。而李园，也因为妹妹的原因得到了楚王的任用，得到了机会参与楚国的政事，地位越来越显贵，终于走上了飞黄腾达的道路。

不过，故事并没有到此为止。李园的计谋成功之后，越来越害怕春申君会向外人泄露出这个天大的秘密，威胁到自己来之不易的荣华富贵。于是他暗地里培养了一群刺客，想要寻找机会杀春申君灭口。不过，李园培养刺客的事情进行得并不十分严密，国都中有很多人都怀疑他图谋不轨，甚至有人向春申君偷偷报信，然而春申君认为李园和自己是一条绳上的蚂蚱，竟然斥责这些人散布流言蜚语（指没有根据的话，多指在背后散布的诽谤、诬陷别人的话），再加上李园在春申君面前总是一副唯唯诺诺（形容没有主见，一味地顺从别人的意见）的样子，春申君反而对李园加倍信任。

等春申君在楚国宰相的位置上任职到第二十五个年头的时候，楚国的形势终于开始发生了变化。楚考烈王的病情越来越严重，眼看着等楚王驾崩，春申君的儿子就要如愿以偿地继承楚国的王位了。

在这个时候，春申君的一个叫作朱英的门客突然请求进见，他对春申君说："如今的这个世道，有出人意料的福运，也有出人意料的祸患。如今公子正处在这样一个充斥着出人意料事件的世道里，侍奉着出人意料的国君，而又怎么能没有一个出人意料的人来帮助您呢？"

朱英的话说得不明不白，让春申君听得云里雾里，于是问朱英道："敢问您所说的出人意料的福运指的是什么？"

朱英回答："公子您作为楚国的宰相已经二十多年了，虽然在名位上只是宰相，实际上的权威却已经跟楚王差不多了，楚国的大小事务，到头来还不是您说了算。如今大王的病恐怕已经是治不好了，随时都有可能驾崩，而太子尚且年幼，等到太子登基，由您来辅佐太子，完全可以继续执掌楚国的国政，如同古代辅佐太子的权臣伊尹、周公那样，等到太子成年之后再将执政的权力返还给他。或者不想这样，您干脆自己自立为王，直接废了太子，占有楚国的土地，凭借您的威望和权势，这也是完全没问题的，这就是我所说的出人意料的福运。"

春申君赞同地点了点头，又想到即便楚王驾崩，将来继位的也是自己的儿子，楚国的国政已经不可能逃出自己的手掌心。不过这个秘密外人自然是不知道的，于是他更满足地笑了笑，接着问道：“这个我当然了解。那么您所说的出人意料的祸患，指的是什么呢？”

朱英回答说：“祸患在于李园。李园这个人，不能治理国家，可在地位上却是将来楚王的舅舅，虽不执掌军队担任将领，却早就暗地里养着一大群刺客图谋不轨。等到楚王驾崩的时候，李园一定会首先进入宫中，假传国君的遗诏，自己独掌楚国的大权，并杀害您灭口，这就是我说的出人意料的祸患。”

春申君听了，想到有自己和李园妹妹的密谋这一层关系在，与自己同谋的李园肯定不会加害自己，这个外人自然是不清楚的，于是对朱英的警告毫不放在心上，而是轻蔑地再问朱英说：“那您说的出人意料的人，又指的是谁呢？”

朱英回答说：“正是在下。我可以帮您消除祸患。只要您预先指派我去楚王的宫中做卫士，一旦楚王驾崩，李园一定会率先进入宫中，这个时候，我就可以趁机在宫中先杀了李园，替您消除祸患。我自己就是那个出人意料的人。”

春申君听了连忙摇头，说道：“您不要再说下去了，以后也再也不要向我提起这件事。李园只是个软弱无能的人罢了，而且他和我关系还那么好，怎么可能成为祸患，做出这种不利于我的事呢？”于是他轻蔑地将朱英赶了出去。而朱英得知了春申君的态度，大感不妙，害怕将来会有祸患牵连到自己，于是赶忙逃出了楚国。

这之后过了十几天，楚考烈王终于驾崩，而李园果然如朱英所说率先入宫，并带来他养的刺客们，把他们藏在宫门附近，等到春申君一进宫，刺客们一拥而上，杀掉了春申君。做了楚国二十多年宰相，权倾朝野、天下知名的春申君就这样聪明一世，糊涂一时，白白葬送了自己的性命。随后，李园妹妹生的儿子，也就是春申君的儿子果然继承了楚国的王位，成为楚幽王。不过，在这一阴谋中真正获利的却是春申君口中的那个“软弱无能”的李园，而不是那个曾经权倾朝野、名满天下的春申君。

苏秦卧底齐国

苏秦曾经作为燕国的宰相，游说六国，结成“合纵”的联盟，令秦国大为惊恐，一连十五年都不敢出兵函谷关，侵犯东方六国。

不过，秦国人逐渐想出了瓦解六国联盟的对策，这就是所谓的“连横”。而在秦国的威逼利诱之下，六国联盟的裂痕最先出现在齐国。齐国距秦国最远，很难遭受到秦国的直接攻击，因而危机感本来就不是很强，再加上齐国自身的实力也很强大，齐王也有在诸侯间称霸的野心，于是暗地里和秦国交好，约定平分天下。很快，齐国就拉上魏国，一同在背后袭击“合纵”的盟主赵国，随后又继续攻打燕国，而“合纵”的联盟本就是以赵国和燕国为核心，这样一来，后院着火，令“合纵”的联盟土崩瓦解。

作为联盟的“主心骨”，苏秦原本坐镇赵国，号令天下。然而齐国的突然倒戈（指军队投降敌人，反过来打自己人）令赵王大为恼火，苏秦害怕受到赵王的责罚，于是请求返回燕国。在返程之前，苏秦向赵王保证，一定要找机会向齐国复仇。

苏秦返回燕国的时候，燕易王刚刚继位，而齐国趁着燕国君主交替，政局不稳之时又来攻打燕国，攻下了十多座城池。

面对这样的形势，燕易王对从赵国归来的苏秦说："先生曾经来到我们燕国，正是先王资助您去游说赵国，才结成了六国的"合纵"联盟。如今联盟已经瓦解，齐国率先攻打联盟的盟主赵国，随后又来攻打我们燕国。我们赵国与燕国都因为先生倡议"合纵"的原因而受到攻击，从而成为天下人的笑柄。如今，先生又回到了燕国，您能够帮助我们向齐国讨回被侵占的土地吗？"

苏秦听了十分惭愧，对燕王说道："臣一定尽力帮助燕国讨回失地。"

于是，苏秦南下来到齐国，见到齐王后，拜倒在地上向齐王庆贺，随后站起身来紧接着又表示哀悼。齐王十分不解，于是对苏秦说："你为什么刚庆贺我，又马上表示哀悼呢？"

苏秦说道："我听说饥饿的人之所以忍受着饥饿，却不肯拿毒草来充饥，这是因为吃了毒草虽然能够饱腹，却会被毒死，毒死和饿死都是死路一条，没有什么区别。如今我们燕国虽然弱小，但燕王已经和秦王联姻，两国结成联盟。大王如今夺取了燕国的十座城池，这就等同于和燕国的盟国秦国为敌，如今燕国背后有着强大的秦国支持，为了向大王复仇，正在招揽天下的精兵强将。大王夺取了燕国的几座城池而已，却得罪了秦国和燕国，这不就等同于饥饿的人去吃毒草充饥吗？大王早晚会因此而遭遇祸患的啊！”

齐王听了之后十分忧虑，对苏秦说：“我实在没想到夺取燕国的城池会有如此严重的后果，请先生教我应该怎么做才好。”

苏秦说:“这事并不难。我听说能够善于处理国家大事的人，都能够将祸事转变为福事，大王如果能听我的话，也能够将这一祸事转变为福事。请大王把侵占燕国的十座城池主动归还给燕国，这样燕国无缘无故就取回了自己的城池，一定会欣喜地感激大王的仁义，而秦国知道大王是因为秦国的原因而主动归还城池，也一定会觉得面上有光。这就是能够转瞬之间（非常短暂的一瞬间）将仇人转换成为至交的办法。而如果燕国和秦国都与齐国建立起良好的关系，那么大王如果想号令天下其他的诸侯国，那么就没人不敢不听从了。大王仅仅付出十座本来就不是自己的城池，就可以结交强大的秦国，取得能够号令天下的地位，这可是建立霸业的方法啊！”

齐王听了十分高兴，于是采纳了苏秦的建议，主动向燕国归还了十座城池。

然而正在苏秦出使齐国的时候，却有人在燕国说苏秦的坏话，说他是反复无常的小人，他出使齐国一定与齐王达成了不可告人的约定，最终会出卖燕国。苏秦虽然害怕燕王听信谗言而怪罪自己，但还是鼓起勇气，返回了燕国。

回到燕国之后，燕王果然不再授予苏秦官职。苏秦明白燕王是在怀疑自己对燕国的忠心，于是进宫面见燕王，说道：“臣只不过是出身于郊野的一介平民而已，而大王屈尊，亲自任命我为使者出使齐国，如今我完成了使命，成功为大王讨回了十座城池，大王应该更为亲近我才对，如今却连一官半职也不授予我，可见一定是有人向大王进了谗言，说臣对大王不忠信。然而如果我真的是不忠信的人，这恐怕是大王的福气呢！我听说忠信的人，都是为自己考虑的人，而想要取得功业的人，才能够被人所任用。而我出使齐国，从头到尾没有一件事欺骗了大王，我把自己的老母亲放在家乡不去侍奉，自己去为大王做能够取得功业的事，而大王却因为有人说我不忠信而怪罪我。那么，如果有像曾参一样孝顺的人，像伯夷一样廉洁的人，像尾声一样守信的人在这里供大王任用，大王觉得怎么样？”

燕王说：“那我当然会十分满足。”

苏秦说：“像曾参一样孝顺的人，甚至都不能有一晚上不在父母身边服侍父母，大王又怎么可能让他远离父母几个月去出使齐国呢？像伯夷一样廉洁的人，甚至国君的位置都不去做，连周武王那样贤明的君主都不想去侍奉，什么爵位都不想接受，最终饿死在首阳山下，虽是廉洁，大王又怎么可能让他接受任命去出使齐国呢？像尾声一样守信的人，和女子约定在桥下见面，女子失约不来，自己始终不肯离开，最终抱着桥柱被大水淹死，这样的人，虽然诚信，然而怎么可能在复杂的外交活动中游刃有余（比喻技术熟练，经验丰富，解决问题丝毫不费力）地为燕国谋得利益呢？我就是因为既要为大王建立功业，又对大王保持忠信，才被大王所猜忌的啊！”

燕王仍然不肯信任苏秦，说道：“我承认你为我们燕国立下了功劳。然而却不敢认为你对我忠心，如果你真的忠心，我怎么可能感觉不到呢？更何况怎么可能有人因为忠信而获罪呢？”

苏秦回答说："事情可并不这么简单。我听说有个人，因为长时间离开家到远处做官，他的妻子和别人私通，等到他将要回家的时候，他的妻子害怕事情泄露，于是和私通的人一起谋划，想要下毒谋害他。这件事让他的小妾知道了，不忍心看到自己的丈夫被谋害，然而作小妾的，按道理上讲既要忠于丈夫，又要忠于正妻。所以，如果小妾对丈夫说了下毒的事，那么正妻就一定会获罪而被驱逐；如果不说，那么丈夫就要被毒死。无奈之下，小妾只能请求正妻让自己把毒酒端给丈夫，而在途中装作走路不稳，把酒壶摔碎在地上。丈夫看到之后大怒，认为小妾毛手毛脚，非要惩罚她不可，于是打了她五十鞭子，小妾又不敢说出实话，只能甘心受罚。这么看来，小妾摔了酒壶，既保全了丈夫，又保全了正妻，尽了自己对丈夫和正妻忠心的义务，却令自己遭到了鞭打的惩罚。那么大王怎么能说忠心的人不会获罪呢？而我恐怕就和这个小妾一样，是因为对大王忠心才遭受猜忌的吧！"

燕王听了恍然大悟，于是不再怀疑苏秦，而让他官复原职，并且越来越亲近苏秦。

后来，苏秦与燕王的母亲私通，这事败露，让燕王知道了，然而燕王并没有因此而惩罚苏秦，反而对他更加礼敬。这让苏秦感到恐慌，他怕早晚有一天燕王会惩罚自己。于是对燕王说可以派自己去到齐国当卧底，让自己在暗中破坏齐国的内政，为燕国报曾经被齐国攻打的仇。燕王同意了苏秦的计策，于是苏秦假装得罪了燕王而被驱逐，投奔了齐国。

齐宣王曾经领略过苏秦的才能，于是任他为客卿。而苏秦也果真信守着他作卧底的诺言。等到齐宣王死后，齐湣（mǐn）王继位。苏秦不遗余力的游说齐湣王应该厚葬宣王，向天下人展示自己的孝心，又劝齐湣王说齐国作为东方的大国应该修建高大的宫室来彰显大国的气派。这些建议都是想让齐国大兴土木，耗费国力，引起百姓的不满，从而为燕国有朝一日能够战胜齐国做准备。

苏秦受到齐湣王的信任，对苏秦的话，齐湣王无不采纳。然而苏秦受到的宠信引起了齐国其他大臣的嫉妒，于是有人为了和苏秦争宠，雇佣刺客刺杀苏秦。刺客果然得手，让苏秦身负重伤。齐湣王大为生气，下令在全国追捕凶手。苏秦受到的伤十分严重，已经无法医治了。于是苏秦对前来看望的齐湣王说："大王如果想要为臣报仇的话，臣有一个计策。臣如今已经不行了，等臣死后，大王可以向全国宣布说臣是燕国派到齐国来的卧底，将要在齐国作乱。并在闹市中将臣处以车裂的刑罚，下令赏赐曾经刺杀臣的人，这样的话，刺杀臣的人一定会高兴地前来领赏，大王可以趁机抓住他，审问他是受谁的指使。这样，臣的仇也就得报了。"

齐王采纳了苏秦的计策，而刺杀苏秦的人果然不再躲藏，高高兴兴地前来领赏，齐王于是抓住了他，成功为苏秦报了仇。

而苏秦主动在齐王那里给自己按了个燕国卧底的罪名，实际上正是害怕自己死后所从事的卧底行为被揭露出来。因此，他的计策既是要为自己找到仇人，又是想借机打消齐王怀疑自己的可能，让齐王信任自己，以为"燕国卧底"的身份只不过是一句玩笑而已。

然而，在苏秦死后，他所从事的卧底行为还是逐渐暴露了出来，齐王知道苏秦的真面目后极为生气，越来越怨恨燕国。而苏秦的卧底最终也没有为燕国带来伐齐的机会，反而令齐国与燕国关系越来越险恶，齐国不断侵略燕国，燕国也因此越来越衰弱。

燕昭王招揽贤人

在战国七雄之中，燕国地处北方的偏远之地，实力一直较弱。在燕昭王的时候，又因为国家内部有人作乱，齐国借机攻打燕国，燕国大败，实力遭到进一步削弱，因此燕昭王十分怨恨齐国，想要有朝一日能够报仇雪恨。

而燕昭王知道燕国实力不足，仅靠自己的力量很难令燕国强大起来。于是想要向全天下招募贤能之士，他首先找到燕国的贤士郭隗，向他请教说："齐国借着我们国内叛乱的时机，偷袭我们燕国，让我们遭受了沉重的打击，这一深仇大恨我一直铭记在心，时刻想找机会出这口恶气。可是，我清楚地知道燕国国力弱小，很难向齐国报仇雪恨。因此，我想要向全天下招揽贤能的人才，希望能够得到贤人的帮助，辅佐我把燕国治理得强大起来，从而有能够向齐国报仇的资本，这可是我一直以来的愿望啊。请问先生，我的这个愿望应该怎样才能实现呢？"

郭隗回答说："我听说，能够成就帝业的国君，把贤能的人作为老师对待，向他们请教治理国家的方法；能够成就王业的国君，把贤能的人当作朋友对待，和他们一同治理国家；能够成就霸业的国君，把贤能的人作为臣子对待，任命他们治理国家；而将要亡国的国君，则把贤能的人当作奴仆来对待，只知道驱使贤人，因此才会导致亡国。因此，能够主动降低身份，虚心向人求教，就会有能力超过自己百倍的人前来；如果对人指手画脚，任意斥责，那么招揽的只能是干杂活、做苦役的无能之人。因此，大王如果真的想要招揽贤能的人才，就一定要亲自拜访，虚心向贤能的人求教，给予贤能的人足够的尊重。只有这样，贤能的人才能够争先恐后地来到燕国，辅佐大王。”

燕昭王十分同意郭隗的话，又问道：“那您认为我应该先去拜访谁最合适呢？”

郭隗回答说：“我听说，古代有个君王，想要用千两黄金来买一匹千里马，然而前前后后经历了三年，也一直没能买到。这时候，有人对君王说，‘请让我去买吧，我有办法能够买到。’国君大喜，派了他去。经过了三个月，这个人果然找到了千里马。但是，他找到的却是一匹死马，可他仍然用五百两黄金买了死马的骨头，回来向国君禀报。国君得知后大为生气，对他说，‘你做的是什么事啊！我想要的是一匹活的千里马，你买这匹死马有什么用？还白白花费了我五百两黄金。’然而这个人却对君王说道，‘大王请听我解释，如果大王愿意为一匹死的千里马花费五百两黄金，那么更不用说是一匹活的千里马了！一旦这件事让天下人知道了，所有人都会认为大王是肯为千里马花大价钱的。这样，从此以后就不用劳烦大王再去寻找千里马，不久

之后，就会有人主动为大王送上千里马来。’果然，不到一年，就陆续有三个人主动到君王这里出售千里马。

买千里马是这样，追求贤能的人也是同样。大王如果一时之间不容易找到千里马，可以先用大价钱买死马，吸引千里马主动上门。而我郭隗没有什么才能，愿意充当这匹死马，如果像我这样没有什么才能的人都被大王重用，给予崇高的尊敬，那么全天下有那么多能力比我高的人，听到我被重用的消息，一定会争先恐后来到燕国投奔大王的。”

燕昭王听了大喜，于是立刻把郭隗请到宫中，举行了最为隆重的礼仪，将他尊敬为自己的师傅，并且耗费巨资为郭隗修建了华丽的宫殿居住。天下人知道了这个消息，都十分兴奋，认为可以在燕国一展自己的才能。于是几年之间，大量的人才涌进燕国，如魏国的乐毅、齐国的邹衍、赵国的剧辛等等，燕国短时间内汇聚了大量的贤能之人，燕昭王也始终遵守了他礼敬贤人的诺言。就这样过了二十多年，在贤人的帮助之下，燕昭王励精图治（形容国家的领导者振奋精神，竭尽全力想治理好国家），终于让燕国的百姓越来越富足，燕国的百姓们充满了自信，愿意为国而战，向齐国报仇。曾经弱小的燕国，终于不再像从前那样任人宰割，发展成了令人不能小觑（qù 小瞧，小看）的国家。

乐毅攻齐

燕昭王听从了郭隗的建议，能够虚心求教、礼遇人才，几年之中，很多人才都汇聚在了燕国，这其中，就有著名的将领乐毅。燕昭王任命乐毅训练燕国的军队，等待着时机，想要向齐国报仇。

这个时候，齐国的实力十分强大，齐湣王在南面击败楚国，在西面令赵、魏、韩屈服，和三国一同攻打秦国，同时又吞并了宋国，使齐国的疆域扩展了一千多里，齐湣王几乎成了天下的霸主，连强大的秦国似乎也不是齐国的对手。不过，齐湣王为人骄横，在对外战争中取得了如此的胜利之后，更是越发地骄傲起来，对待百姓也越来越苛刻。齐国表面上看起来十分强大，可是齐国的人民对齐湣王的不满却也一天比一天加重。

燕昭王看出了齐国内部局势并不稳定，于是找来乐毅商量讨伐齐国的事，乐毅说："齐国虽然有着内部的问题，但是还有着在诸侯之中称霸的实力，它的土地广阔、人口众多，以我们燕国的实力，恐怕很难独自攻下齐国。大王一定要讨伐齐国，不如同赵国、楚国、魏国结成联盟，一起出兵。”于是燕昭王就任命乐毅出使诸侯，策划讨伐齐国的事。

乐毅出使赵国，和赵惠文王约好讨伐齐国的事，赵惠文王甚至任命乐毅兼任赵国的宰相，又派遣使者去楚国和魏国，甚至还和秦国订立了盟约，各个诸侯国都对齐湣王的骄横十分不满，很快大家就达成了共识，约定好一同攻打齐国。乐毅回到燕国禀报燕昭王，燕昭王十分高兴，当即任命乐毅为上将军，率领燕国、赵国、楚国、韩国、魏国五国的军队浩浩荡荡地向齐国进军，齐湣王仓促地指挥军队迎战，在济水西侧，两军相遇，齐国遭到了惨败。

在击溃了齐国的主力之后，乐毅遣送回了诸侯的联军，准备接下来靠着燕国自己的力量灭亡齐国。不过，燕国的很多人都不赞成乐毅的决策，认为齐国虽然遭受了教训，然而实力尚在，又没有了其他诸侯国的帮助，仅靠燕国自身的实力并不足以灭亡齐国。不过，燕军的主帅乐毅却不这么认为，他认为齐国的百姓早已不满齐湣王的骄横，齐国的精锐又在济水之战中消耗殆尽，在这个时候追击，齐国人根本不会有抵抗的意志，正是出兵的绝好时机。于是乐毅率领军队渡过济水，向着齐国的都城临淄进发。

齐湣王在济水遭到失败后逃到临淄，根本没想到曾经弱小的燕国竟然会追击而来，顿时慌了神，而齐国的大臣和百姓们也早就对齐湣王不满，根本难以组织起有效的抵抗力量，眼看着燕军一步步逼近，齐湣王狼狈地逃出首都，跑到偏远的莒（jǔ）

城以躲避燕军的攻击。

于是，齐国的首都临淄城被燕军轻易地攻下，城中尚有齐湣王逃跑时来不及带走的大量财宝以及齐国宗庙祭祀的器具，乐毅令人把这些战利品全部运回燕国，燕昭王见到自己的大仇得报，十分高兴，把昌国封给乐毅，从此乐毅又被称为昌国君。

随后，乐毅继续留在齐国，攻打齐国其他的城池，五年之间攻下了七十多座城池，并且把这些城池都划归为燕国的属地，在这些地区实行减免赋税的政策，废除苛政，安抚这些地区的人民，试图将攻下的城池永久地收归为燕国的领土。而燕国的力量也得到了极大的增强，由一个偏远小国一跃成为当时的大国。而这个时候的齐国，仅仅剩下莒和即墨两座城还没有陷落，从前还是和秦国争霸的大国，如今眼看着就要遭到彻底的灭亡。

然而，正在乐毅组织军队围困莒和即墨的时候，燕国内部却发生了变数。燕昭王去世，燕惠王继位。燕惠王在做太子的时候就不喜欢乐毅，等到即位之后，看乐毅在齐国立下了这么大的功劳，心里更是不舒服，总想找借口把他调回国。

齐国人知道了这个消息，于是就开始对燕国实施反间计，在燕国散布谣言——齐国如今仅仅剩下两座城没有被攻下来，之所以乐毅迟迟不肯攻下这两座城，是因为想在齐国趁机发展自己的势力，背叛燕国，自立为王。燕惠王听信了谣言，于是立刻派人调回乐毅，任命骑劫取代乐毅。

乐毅知道燕惠王不喜欢自己，害怕自己回到燕国会被杀害，

于是虽然交出了兵权，但并不敢返回燕国，而是一路向西，投奔了赵国。

而骑劫统领了军队之后，急于树立自己的功绩，下令向莒和即墨发动猛烈的攻击。而齐国的将领田单利用骑劫的急躁心理，在即墨城下设好埋伏，骑劫的军队遭到了惨败，士兵们本来都对燕王召回乐毅十分不满，这回的失败又让燕军的士气变得十分低落。齐国人看准了这样的时机，发动了全面的反击，燕军准备不足，失败接连不断，没几个月，原先攻占的齐国的城池又一个接一个地被齐国人收复了回去，燕国的军队最终被彻底赶出了齐国，齐王被接回了临淄城。乐毅立下的功勋，不久之间就全部瓦解，而燕国的大国梦也随着骑劫的兵败而破碎。

此后，燕惠王追悔不及，想要再请乐毅回国，然而乐毅对燕惠王的昏庸不明十分不满，写下了著名的《报燕惠王书》。书中追思先王对自己的信任和自己对燕国的一片忠心，对燕惠王的昏庸决策提出批评，并对攻齐的功败垂成（事情接近成功的时候却遭到了失败）表示出无限的遗憾，下定决心不为昏庸的君主效力，最终乐毅死在了赵国。一代名将乐毅，曾帮助弱小的燕国差一点灭掉强大的齐国，令诸侯国们震惊不已。可惜燕国的强国梦，竟然被燕惠王的一个昏庸决策而彻底地葬送了。

荆轲刺秦王

燕国的太子丹曾经在秦国做人质，他眼看秦国一天比一天气焰嚣张，甚至有灭亡六国的打算，日夜担心燕国的未来，于是太子丹偷偷逃出秦国。为了挽救时局，太子丹四处搜寻义士，终于找到燕国著名的勇士荆轲。他和荆轲制订了一个刺杀秦王的计划，想要借此让秦国大乱，为燕国谋求喘息之机。

不久，秦王派遣将领王翦（jiǎn）攻打赵国，赵国首都被攻破，赵王被俘虏，赵国从此灭亡。而秦国吞并了赵国的土地，开始和燕国接壤，秦国的军队也已经驻扎在燕国南面的边境易水，眼看着燕国就要成为下一个被攻打的对象。

太子丹十分恐惧，于是请求荆轲，希望他能在秦兵攻打燕国之前实行刺杀秦王的计划。而荆轲却对太子丹说："我也想尽快实施刺杀秦王的计划，可是我的手上没有信物，贸然前往，秦王恐怕不会相信我。我听说樊於期将军从秦国逃离，如今被太子所收留。秦国用万两黄金和封万户侯的待遇来悬赏樊将军的脑袋，如果您能杀了樊将军，让我带着樊将军的脑袋和燕国的地图前去献给秦王，假装说燕国有意向秦国开城投降，那么秦王一定会高兴地接见我，我才能方便开展我的计划。”然而太子丹却十分犹豫，说道：“樊将军是因为走投无路，才前来投奔我，我既然已经接受了他，实在不忍心因为自己的私心而辜负他对我的信任，希望您能够再想想有没有其他的办法。”

荆轲知道太子丹不忍心杀害樊於期，于是就自己去找樊於期，对他说：“樊将军，秦国对您那么狠毒，听说您在秦国的家人、亲戚都被秦王杀害，他们还悬赏千两黄金、许诺封万户侯来求您的脑袋，如今秦国的大军已经临近燕国的边境了，眼看着燕国也没办法容身了，您应该怎么办才能向秦国报仇雪恨啊？”

樊将军仰天长叹说：“我每想到这件事，就悲痛得深入骨髓，然而无论怎么想，都不知道应该怎么做才能报得了仇。”

荆轲说：“我这里有一个办法，既能够解除燕国面临的危机，又能够替将军报仇雪恨。不过，按照我的办法，需要向将军借一样东西，不知道将军觉得怎么样？”

樊於期听了十分激动，说道：“那实在是太好了，请您快说，无论向我借什么，我都会答应你。”

荆轲于是说：“我想要借的东西，是您的脑袋。如果我能够带着您的脑袋去求见秦王，秦王一定会十分高兴地接见我。以我的武力，只要他肯面见我，我就能一个箭步冲上去，左手抓住他的袖子，右手用匕首刺向他的胸膛，要了他的命。等秦王一死，秦国一定大乱，到时候将军的大仇得报，而燕国所面临的危机也可以得到解除，岂不是两全其美？将军认为我的计划怎么样呢？”

樊於期听了大喜，向荆轲跪拜说：“杀掉秦王报仇雪恨，这可是我日思夜想的事啊，今天实在多谢您的赐教。”说完，就拔出佩剑，自刎在荆轲的面前。太子丹知道这件事之后十分悲伤，趴在樊於期的尸体上哭了很久，最后无可奈何，只能用锦盒装着樊於期的脑袋，让荆轲作为信物带去秦国。

有了信物之后，太子丹又开始为荆轲准备行刺秦王用的器具，他求购全天下最锋利的匕首送给荆轲，并在匕首上涂上毒药，一旦划破人的皮肤，哪怕沾到人的一滴血液，就足以要人的性命。并且，为了给荆轲提供帮手，太子丹又从燕国选取了一个叫作秦武阳的少年勇士。他虽然年仅十二岁，却有杀人的经历，面色凶恶，人们甚至不敢直视他的眼睛。

等到准备得差不多了，太子丹和他的门客们送别荆轲，一行人到达燕国边境的易水河边，太子丹为荆轲敬酒做最后的告别。荆轲饮下烈酒，望着奔流不息的易水和送别的人们，用悲凉的声音唱道：“风萧萧兮易水寒，壮士一去兮不复还。”众人听了满面悲容，而荆轲则毅然转身，和秦武阳两人驾车继续向南，渐行渐远，直到消失在众人眼中，也始终没有回头向众人所在的燕国看上一眼。

荆轲和秦武阳到了秦国，先向秦王的宠臣孟嘉献上大量金钱，将他收买，让他向秦王说好话：“燕王畏惧大王的威仪，不敢和大王相抗衡，因此准备向大王投降，把所有的土地献给大王，只求大王能够封给他们一小块土地，保存他们的宗庙。他们为了表示自己的诚意，已经砍下了樊於期的脑袋，并且献上燕国的地图。他们的使者已经到了秦国，正在请求大王的接见。”

秦王听到不用出兵就能得到燕国的土地，大为高兴，于是在朝堂中设置宴席，召集群臣，准备隆重地接见燕国的使者。于是，荆轲捧着装樊於期脑袋的盒子，秦武阳捧着燕国的地图进入咸阳宫，到了大殿的台阶下。然而秦武阳见到秦王宫殿如此威严，不禁害怕起来，脸上一阵红一阵紫，腿脚不由得开始发软，走路也开始一晃一晃的。秦国的大臣们看了，都感到十分奇怪。荆轲害怕秦武阳坏事，故作镇定地瞪了一眼秦武阳，笑了一声，然后跪下来向秦王赔罪说："陪我来的这个人是北国穷乡僻壤（指荒远偏僻的地方）来的傻小子，没有见过大世面，因此才在大王面前害怕得发抖。请大王不要见怪。”秦王相信了荆轲，命他站起来，由他亲自把秦武阳捧着的地图献上来。

于是荆轲捧着地图登上大殿的台阶，来到秦王的面前，一边一点一点地展开地图，一边向秦王介绍着燕国的土地。然而等到地图全部展开的时候，地图中卷着的匕首忽然出现，秦王大惊失色。而荆轲立刻用左手抓住秦王的袖子，右手拿起匕首向秦王刺去。秦王拼命站起来躲开，用力过猛把袖子都扯裂了，这才躲开荆轲的一刺。荆轲没能一下刺中秦王，于是向秦王追去。秦王想要拔出自己的佩剑进行抵抗，然而剑身太长，情急之下怎么也不能完全把剑从剑鞘（qiào）拔出。秦王极度慌张，

利用大殿的柱子躲避荆轲，荆轲绕着柱子追逐秦王，二人暂时僵持了起来。

在殿下的大臣们都惊讶地慌乱成一团，然而秦国的法律严酷，规定臣下如果上殿，绝对不允许携带兵器，而携带兵器的卫士们，除非有诏令，不然绝对不可以上殿。但是秦王在慌乱之中，根本没有时间下命令让卫士们上殿。因此在荆轲追逐秦王的时候，臣下都只能在殿下呆呆地看着，无法给秦王提供帮助。

这个时候，在殿下焦急不安的太医夏无且想起来自己的药囊可以作为武器，于是把药囊向荆轲扔去，正好砸中了荆轲，终于让秦王得到了暂时的喘息。

在慌乱之间，秦王呆立着完全不知道该怎么办。这时候，殿下的群臣纷纷向秦王说："大王快拔剑！大王快拔剑！"秦王这才想起来，借机拔出长剑向荆轲砍去，正好砍中了荆轲的左腿，荆轲失去了行动能力，只能用最后的力气把匕首向秦王的方向投去，却也被秦王躲开，只击中了柱子。秦王连着向荆轲砍了八剑，荆轲奄奄一息，知道行刺已经失败，于是靠在柱子上大笑起来，骂着秦王，并说道："我本来不想杀你，只是想活着挟持你，可惜啊可惜！我的一念之差，最终导致计划的失败！"在这个时候，秦王手下的侍卫们才终于上前，把荆轲和秦武阳剁成了肉泥。

等到一切都结束后，秦王头昏目眩，心中的惊恐经历了很久才终于平复。于是秦王对臣下论功行赏，赐给用药囊击打荆轲的夏无且二百两黄金。

经过荆轲行刺的事，秦王极为痛恨燕国，立刻下令，让刚刚灭亡赵国的王翦立刻挥师北上攻打燕国，十个月后就攻破了燕国的首都。燕王和太子丹逃亡辽东，而秦王为了报行刺之仇，对燕王穷追不舍，不到五年，就彻底灭亡了燕国。

图书在版编目（CIP）数据

学而思大语文分级阅读. 战国故事：3~4年级 / 学而思教研中心编著. —北京：现代教育出版社，2019.1（2020.12重印）

ISBN 978-7-5106-6839-5

Ⅰ. ①学… Ⅱ. ①学… Ⅲ. ①阅读课-小学-教学参考资料 Ⅳ. ①G624.233

中国版本图书馆CIP数据核字（2018）第300516号

学而思大语文分级阅读 3~4年级

战国故事

学而思教研中心 编著

出 品 人：陈 琦
选题策划：王春霞
执行主编：田 雪
改　　编：金 鑫
责任编辑：魏 星
装帧设计：学而思教研中心设计组
出版发行：现代教育出版社
地　　址：北京市朝阳区安华里504号E座
邮政编码：100011
电　　话：010-64251036（编辑部） 010-64256130（发行部）
印　　刷：捷鹰印刷（天津）有限公司
开　　本：710mm × 1000mm 1/16
印　　张：13
字　　数：130千字
版　　次：2019年1月第1版
印　　次：2020年12月第4次印刷
书　　号：ISBN 978-7-5106-6839-5
定　　价：34.80元
